C000179312

DANS MES YEUX

JOHNNY HALLYDAY
se raconte à
AMANDA STHERS

DANS MES YEUX

PLON

Pocket, une marque d'Univers Poche,
est un éditeur qui s'engage pour la préservation
de son environnement et qui utilise du papier fabriqué
à partir de bois provenant de forêts gérées
de manière responsable.

© Plon, 2013
ISBN : 978-2-266-23622-5

« *La jeunesse pour lui ne précède
pas l'âge adulte. (...)
L'avenir est là, un peu derrière lui.* »

Marguerite Duras
au sujet de Johnny Hallyday

Avant-propos

Pendant près d'une année, j'ai passé du temps avec Johnny. Il a parlé. On s'est tus aussi. On s'est compris. On a fait un jeu de pistes à l'intérieur de lui. Je ne l'ai jamais bousculé. Il m'a dit ce qu'il voulait bien avouer. Il m'a fait croire que je dirigeais le bal et j'ai fait semblant d'en être flattée. Son instinct dépasse de loin les grandes intelligences. On s'est marrés aussi. Johnny est obsédé par l'idée que je me tatoue. Il me dit que ça m'irait tellement bien. Je flippe de boire un coup de trop et de me réveiller avec un aigle au milieu du dos. Après ces entretiens pourtant, je peux dire qu'il y a une marque indélébile, sur ma peau, comme une transmission, un héritage d'amitié.

Johnny ne m'a jamais traitée comme une femme, ni comme une trop jeune fille, il m'a toujours considérée comme un être humain avec lequel il pouvait parler. Il sait que les carcasses ne sont pas forcément le reflet de ce qu'on trimballe dedans.

Sagan, Duras, Labro, Rondeau se sont penchés sur Johnny Hallyday. Les mythes vivants sont rares et les écrivains sont des vampires. Quand l'idée de ce livre nous est venue, j'ai su que c'était important pour moi. Mes névroses de femme et d'auteur sont réunies en ce seul homme. La dualité, l'immortalité, le temps court, les passions, le talent, les blessures, l'envie.

Ce livre n'est pas un recueil de faits, il ne s'agit pas de la pure vérité, peut-être même que les dates ne sont pas exactes, qu'importe. Ce sont les souvenirs de Johnny, sa vie comme il s'en rappelle, ce qu'il a ressenti, ceux qu'il a rencontrés, ceux qu'il a aimés, ceux qu'il regrette d'avoir aimés et de ne pas avoir aimés aussi.

De la bande du square de la Trinité (dont mon père qui avait deux ans de moins que Johnny avait une trouille bleue) au Stade de France, quelles sont les routes que Johnny a choisies ? Nous allons les emprunter ensemble, faire des demi-tours, prendre des raccourcis qui finalement nous ramènent au point de départ.

Je l'ai beaucoup regardé à travers la fumée de sa cigarette, comme une couverture dangereuse qui le protège. Et c'est toute sa vie, cette barrière imaginaire qui lui fait risquer sa peau. C'est dans cette peau que je me suis glissée, sans prétention, tout à son service, avec la pudeur que nous partageons. Je voudrais que vous entendiez sa voix et ses silences, comme moi, que ce soit intime. Je suis légère sous ma plume, je suis là pour ne plus exister, je suis la fumée de cigarette qui disparaît entre Johnny Hallyday et vous.

Amanda STHERS

J'avais quelques mois quand ma mère est rentrée du travail et m'a retrouvé seul par terre sur une couverture. C'était en 1943. On habitait à Paris dans le neuvième, rue Clauzel. Les mois d'avant avaient été brûlants, je suis né par un temps de juin, un soleil sous lequel on dénonçait Jean Moulin. Une France de couvre-feu, occupée, un pays affamé. Il faisait déjà moins chaud ce jour-là, quelques semaines après mon premier cri, quand mon père a embarqué les tickets de rationnement et vendu tous les meubles, même mon petit lit. Il s'est barré avec la vendeuse de la crémerie de la rue Lepic. Il était alcoolique. Dans un état second. Il aurait fait n'importe quoi pour boire, n'importe quoi, même laisser un nourrisson par terre, tout oublier, ne plus penser que ce bébé, c'était son fils. Ne plus y penser pour les dix-huit années à venir. Partir. Ne songer à rien. De l'argent pour un verre, le lit de son bébé pour une bouteille. Partir. Partir. Ne plus être père.

Ma mère et moi nous sommes réfugiés quelque temps en Normandie et nous ne sommes revenus qu'à la fin de la guerre. C'est le moment que mon père a choisi pour réapparaître, me reconnaître, m'offrir alors son nom sous la contrainte de sa sœur Hélène. Elle avait beaucoup d'influence sur lui parce qu'elle lui donnait souvent de l'argent afin qu'il puisse vivre de son métier de « saltimbanque ». Mon père, Léon, était acteur et professeur de théâtre. Il avait une troupe avec laquelle il se produisait un peu partout en Belgique et en France avec plus ou moins de succès. Il a été important pour Serge Reggiani qui m'a confessé un jour qu'il lui avait donné confiance et l'avait aidé à ses débuts. Mon père ne restait jamais longtemps dans la même ville ni dans les bras de la même femme. Monsieur Smet a donc épousé ma mère comme on signe un formulaire administratif et il s'en est allé. Je n'ai jamais imprimé son visage sur mon enfance, dans mon souvenir je n'ai pas de père. Je deviens un homme sans lui.

Je l'ai revu quand j'ai fait l'armée. J'étais déjà « quelqu'un » comme on dit. Avant ça je n'étais personne alors ? C'est ce que je me suis demandé les yeux embrumés par les flashes quand Léon Smet a débarqué alcoolisé devant la caserne. Je pensais que c'était encore une blague. On est venu me chercher pour me dire : « Ton papa à l'entrée ! » J'ai expliqué que je n'avais pas de père mais on m'a dit : « C'est un ordre ! » Il y avait un monsieur avec un long manteau qui serrait fort un ours en peluche. Un monsieur que je ne voulais pas approcher. Il était planté là, comme une mauvaise blague. Une gueule taillée au scalpel mais un peu bouffie par l'alcool, des yeux bleus comme les miens. J'ai avancé doucement, il m'a pris dans ses bras, et avec un accent belge terrible il m'a dit : « Tu souris pas pour la photo ? »

Une nuée de paparazzi attendait avec lui. Il avait fait tout ça pour toucher cinq mille francs. Ça m'a fait quelque chose de terrible. De terrible.

Que s'est-il passé ce jour dont je ne me souviens plus mais qui a dû imprimer ma peau fragile d'enfant, mon dos sur le parquet, mes pleurs qui ne l'avaient pas retenu ? A-t-il prononcé mon prénom ? Est-ce qu'il a murmuré : « Je suis désolé, Jean-Philippe. » Est-ce que j'avais froid ? A-t-il pensé à moi ? Un baiser ? Un geste ? Je ne le saurai jamais. Il m'a laissé le silence en héritage. Le silence et l'envie d'en faire quelque chose, un cri, un joli hurlement qui ressemble à la survie. Pourquoi m'a-t-on fait venir au milieu des photographes pour serrer dans mes bras un inconnu ? Je pense qu'ils s'étaient vengés, à l'armée. Ils voulaient ma peau. Pourtant je faisais tout pour faire profil bas, j'étais même arrivé de nuit pour ne pas déclencher d'émeute. On m'avait affecté dans une caserne à Offenbourg, en Rhénanie. Dans le 43e régiment blindé d'infanterie militaire. Le général me détestait, il était jaloux. Tu m'étonnes, je garais ma Porsche à côté de sa 2 CV ! Des filles hurlaient mon nom devant la caserne. Il me disait : « Smet, ici vous n'êtes pas Hallyday. Ici vous êtes un soldat comme les autres. » En plus je m'étais fait des amis chez les Hell's Angels de Hambourg et ils sont tous venus me voir là-bas, pour me faire plaisir. Tu parles d'une ambiance discrète !
Le week-end, je me louais une chambre dans le village. C'était trop court pour rentrer à Paris, des permissions de vingt-quatre heures à peine. Parfois Sylvie Vartan venait me rejoindre juste pour

une nuit, nous étions jeunes et nos élans d'amour intacts et sans cynisme. Je me souviens de nos nuits blanches comme de parenthèses enfantines et charmantes.

Je voulais juste être un mec normal, on s'imaginait que j'avais la belle vie, mais c'était plus dur pour moi. On m'en voulait de ce que je trimballais malgré moi. Pour pouvoir continuer à enregistrer des disques, l'armée exigeait que j'apparaisse sur les pochettes en uniforme. J'étais celui qui devait montrer l'exemple. On m'a même fait tourner dans une sorte de spot de promotion pour le service militaire. Après avoir été montré du doigt comme le jeune indigne, je jouais au jeune homme idéal. On m'a quand même fait réajuster mon costume pour que je sois beau sur les disques. Comme l'avait fait Elvis ! C'est avec ce look que j'ai sorti « Le pénitencier », à mes yeux une de mes plus grandes chansons. C'est l'adaptation d'une vieille ballade folk américaine, « The House of the Rising Sun ». Pour moi la caserne finissait par ressembler à une prison. J'attendais avec impatience la quille, mais je ne me serais défilé pour rien au monde, ce n'est pas mon tempérament.

Enfant, j'aurais sûrement adoré jouer au soldat, mais à ce moment-là c'était difficile. On me faisait faire la même chose que les garçons de mon âge, mais je n'étais déjà pas comme les autres. On n'y pouvait rien. Je ne suis pas les autres. Je suis un être différent et ça fait souvent des marques sous la peau.

Je ne sais plus quel genre d'enfant j'étais. Il y a des gros trous, des vides dans ma mémoire et puis des images, des sensations comme des grosses taches dans ce gris opaque. Mes souvenirs les plus lointains sont des souvenirs de chutes, une mémoire de la douleur. J'ai sept ans et nous sommes sur la route en traction. C'est Lee qui a acheté cette super voiture. Il y a du vent. On doit chantonner comme toujours. J'ai un chien et une tortue, je pense être un gosse heureux. J'ouvre la portière en chemin et je tombe à vive allure. Je roule dans un fossé. Je me souviens d'avoir eu mal, peur, la sensation qui précède la mort : « Alors voilà ? C'était ça ? » Et puis, je m'en sors. Je tombe sur des graviers, mais je m'écorche juste, j'ai comme une bonne étoile. Très tôt, j'ai le sentiment que je ne mourrai jamais, sauf de tristesse. Mon premier souvenir, c'est celui de la survie. Je m'y suis accroché depuis. D'ailleurs on m'a raconté que tout petit, je marchais à peine, j'ai avalé les paillettes qui servaient à faire du savon. Très acides, comme un décapant, elles m'ont brûlé la langue. Pendant longtemps j'ai zozoté. Parfois quand je m'énerve, ça revient. Ça a sans doute participé à ma façon de prononcer particulière. Mes maux ont créé ma singularité.

Quand j'étais petit, je n'allais pas à l'école, donc je n'avais pas de copains. Ma mère m'avait confié à la sœur de mon père : les gens disaient que si mon père nous avait abandonnés, c'est que c'était sûrement un collabo. En fait c'est Jacob, le mari de ma tante, qui a eu des soucis de ce côté-là, personne n'était tout blanc en cette période, ils ont survécu sûrement avec lâcheté, comme beaucoup de Français, sans réaliser la portée de ce qu'ils ne faisaient pas. On me pointait du doigt. C'était une drôle d'époque où on tentait de trouver quels étaient les bons et les mauvais, comme si c'était aussi simple que ça. Le mari d'Hélène a fait de la prison pour avoir été animateur sur Radio Paris, la radio de la Collaboration. C'était la honte de la famille, il faut bien le dire.

Ma mère était mannequin chez Lanvin. À l'époque, ce n'était pas comme les top models de maintenant ! C'était pas Kate Moss ! Elle défilait dans les maisons de couture pour les clientes. On appelait ça « mannequin cabine ». Elle leur donnait envie de s'habiller comme elle. Elle était belle, ma mère. Grande. Blonde. Parfois je vois son visage dans celui de ma fille Laura. Un port de tête altier. Une femme qu'on regardait dans la rue. Elle était gauche avec moi, elle voulait m'enlacer, mais elle ne savait pas s'y prendre. C'était tabou de parler de ma mère quand j'étais petit. Je ne prononçais pas son nom : Huguette. Ni Huguette ni maman. Je l'ai tue. Elle ne me manquait pas, je ne lui en voulais pas, parce qu'elle n'existait pas. D'ailleurs, elle m'avait rendu invisible, rayé de ses souvenirs, oublié jusque dans son ventre.

C'est ma tante, Hélène Mar, qui s'est occupée de moi très vite. C'était une ancienne actrice du cinéma muet. Elle était habituée à dire les choses en gestes, rien n'a jamais été prononcé sur mon étrange début de destin. Hélène avait deux filles, Menen et Desta, deux jolies danseuses classiques. Je les aimais beaucoup, mes cousines. Comme des grandes sœurs. En 1946, on est partis vivre à Londres pendant deux ans. Mes deux cousines avaient un contrat à l'International

Ballet et ont dansé *Le Lac des cygnes* et *Gisèle*. Les tournées étaient éprouvantes. Ma tante s'était fait engager comme costumière et nous voyagions tous ensemble, logeant chez l'habitant lors des voyages dans toute l'Angleterre. La vie de bohème. J'étais inscrit à des leçons par correspondance quand même, au cours Hattemer, mais l'école, l'éducation, tout ça était un autre monde pour moi, j'ai grandi au sein d'une troupe, des jupons de femmes qui volent au milieu des loges et moi dessous.

On habitait dans un hôtel, ou plutôt un genre de pension de famille. Parfois nous recevions des colis avec des journaux français sur lesquels ma mère posait habillée en Rochas. Je regardais et j'étais fier du principe, mais elle était loin de moi... Mes cousines ont ensuite quitté l'International Ballet pour danser du music-hall. Elles avaient un succès fou avec le french cancan ! Mais n'ayant pas la nationalité anglaise, on a failli se faire virer. Alors, les deux ont épousé des homosexuels. Deux mariages blancs qui arrangeaient tout le monde.

J'avais de grandes boucles blondes, on me trouvait adorable. Un vrai chérubin. Un jour, j'ai pris des ciseaux et j'ai coupé seul mes boucles, j'en avais marre qu'on me confonde avec une fille. Ça a fait pleurer ma cousine Desta. Enfin, c'est ce qu'on m'a raconté parce que je ne me souviens pas de tout. La belle Desta s'est éprise de Lee Lemoine Ketcham, un danseur américain connu sous le pseudonyme de Lee Halliday. C'était un grand blond très costaud d'une vingtaine d'années. Il ne passait pas inaperçu dans notre hôtel de Lane Street. Je l'avais souvent croisé dans les couloirs. Il avait des chemises à carreaux et des grandes bottes pointues. C'était un genre de cow-boy du Far West télétransporté dans un monde londonien. Un jour, sa chaudière a explosé, on l'a tous entendu hurler, il avait été projeté sur le sol, nous nous sommes donc précipités dans sa chambre. C'est comme ça que ses yeux ont croisé ceux de Desta... Mes deux tantes ont monté un trio de danse acrobatique avec lui, « Desta, Menen et Lee », et ils ont tourné un peu partout en Europe pendant quelques années. Et puis Desta et Lee se sont mariés, et Menen est partie vivre avec un beau Black, Flemming, c'était mal vu à l'époque. Je trouvais ça dingue comme ils s'aimaient. Menen et Flemming, ils se regardaient comme dans les films avec leurs prénoms de héros. Ils sont partis vivre leur vie. Moi aussi, un jour, je voulais vivre comme eux. Lee m'emmenait faire des tours sur sa moto, une Royal Enfield. C'est lui qui m'a donné le goût des grosses cylindrées. Monter sur sa moto, c'était devenir grand, être libre. Libre comme Menen et Flemming qui sont partis s'aimer.

Le trio est devenu un duo avec simplement Desta et Lee : « les Halliday ». Pour moi ce nom-là, c'était la lumière, monter sur scène, vivre des choses, être grand. Lee avait pris ce pseudo parce que c'était le nom du docteur qui avait sauvé son père : doc John Halladay. C'est Lee qui m'appelait affectueusement Johnny. C'est donc de lui que j'ai pris tout ce qui m'a fait. C'est mon père de cœur, mon père dans ce métier, c'est une histoire de paternité et de transmission, ce nom qu'on s'est donné du docteur à Lee pour arriver à moi. Je suis fier que mon fils

David le porte à son tour. Ce n'est pas la transmission traditionnelle, c'est la transmission d'une certaine forme d'hommage, d'honneur et de fierté. Lee, c'était l'Amérique, il me racontait les grands espaces, les colts des cow-boys, les canyons… C'est Lee qui m'a fait monter sur scène pour chanter la première fois, à Copenhague, je devais avoir une dizaine d'années et, pendant que Lee et Desta changeaient de costume, moi je chantais « La ballade de Davy Crockett » ou d'autres chansons dont je ne me souviens plus. J'étais maintenant inscrit à l'école des enfants du spectacle pour suivre des cours par correspondance, et en attendant j'apprenais le violon et la danse classique. J'étais assez nul au violon, c'était pas mon truc. Des heures de violon à casser les oreilles de tout le monde avec ce satané archet grinçant ! Lee m'a pris le violon des mains et m'a dit « *Forget it* », et il m'a filé une guitare à la place. Ensuite, nous avons vécu à Genève et j'étais inscrit au conservatoire pour prendre des cours de guitare avec José de Azpiazu. J'étais bon mais je ne voulais pas jouer des classiques, ça m'ennuyait. Je me suis fait virer. On est rentrés à Paris. J'avais treize ans. On est retournés dans le neuvième. J'ai eu des petits rôles, j'ai tourné des réclames, fait de la figuration dans *Les Diaboliques* d'Henri-Georges Clouzot. Au début j'avais une phrase, mais elle a été coupée au montage. N'empêche ! On m'avait vu au cinéma et je n'étais pas peu fier !

Je traînais mes joues rouges et mes yeux baissés dans le quartier. Ma mère ne vivait plus à Paris mais à Grenoble. Elle s'était remariée avec un homme,

Michel Galmiche, et elle avait eu deux autres enfants. Mes demi-frères. Cet homme ne connaissait pas mon existence. Il m'a découvert plus tard quand j'avais dix-huit ans. Je me souviens du bruit de la sonnette. C'est une drôle de sensation de se demander si notre mère sera heureuse de nous découvrir derrière la porte.

J'ai dû aller la voir pour lui faire signer ma lettre d'émancipation. À l'époque, on était adulte à vingt et un ans et, sans cette autorisation, je ne pouvais pas toucher mon argent. Je suis venu lui demander de me libérer définitivement d'elle alors qu'elle m'avait à peine serré dans ses bras. Quand Michel m'a connu, j'étais déjà Johnny Hallyday. C'est Johnny qui sonnait à la porte. Ce n'était pas honteux de m'avoir pour fils. Mais si ç'avait été Jean-Philippe ? Sans le sou. Comment ma mère aurait-elle réagi ? Ce qui est sûr c'est qu'il a été gentil, que nous sommes devenus amis après. Mes demi-frères, je les aime beaucoup, mais je n'ai jamais eu l'occasion de les connaître vraiment. Ironie du sort, ils sont percepteurs aux impôts ! Ça doit être bien d'avoir un frère, d'avoir des copains. Ça m'a manqué, c'est vrai.

Je me suis rattrapé depuis, les bandes de potes ça a été important dans ma vie. Mon plus vieux copain c'est Eddy. On s'est rencontrés quand j'avais quatorze ans et demi et lui quinze. Il faisait partie de la bande des grands ! À l'époque, six mois, c'était une grande différence d'âge ! On se croisait aux surboums. On était fans de rock tous les deux. Indirectement, c'est ça qui nous a réunis. Un jour, on s'est battus comme des fous parce que je lui avais piqué des vinyles à une surprise-partie. Une bonne bagarre, ça crée des liens. Après je l'ai invité chez moi pour lui montrer mes trésors : la famille de Lee m'envoyait des disques des États-Unis. Des trucs introuvables. Buddy Holly. Elvis. On écoutait ça ensemble, on chantait, on rêvait. On s'asseyait sur mon petit lit dans ma chambre. Elle était peinte en vert et jaune. Il y avait des posters de Bardot, d'Elvis, de Kim Novak, de pin-up… J'ai des photos de moi dans cette chambre, les premiers reportages de magazines. Eddy s'affalait et on fredonnait des chansons.

« Jean-Philippe ! gueulait ma tante. Jean-Philippe ! Ne lui fais pas écouter tes disques, il va vouloir devenir chanteur et te piquer ton travail ! »

Ça nous faisait marrer. On était juste des gamins qui aimaient la musique, les filles et qui avaient soif de vivre.

Comment s'imaginer que les deux ados que nous étions, un jour, deviendraient Johnny Hallyday et Eddy Mitchell ?… Du moins aux yeux des gens. Nous, on est toujours les mêmes. Deux types qui vibrent pour un bon rock'n roll. Quand je regarde les yeux d'Eddy, ce que je vois, c'est ce que j'ai été, plus que ce que je suis devenu. Et je sais que c'est ce type-là qu'il a aimé au début et ça me rassure. Ma tante avait le nez creux. Je voulais surtout être acteur. Chanteur, c'était la cerise sur le gâteau. Mais je me voyais acteur. J'allais dans les cinémas de quartier. On pouvait acheter un ticket et voir plusieurs séances. Je payais un franc trente à l'Atomic Pigalle et je restais de quatorze heures à minuit. Je voyais tout. Mon premier choc cinématographique, ça a été *Sur les quais* avec Brando. Karl Malden joue un prêtre qui essayait de mettre le personnage de Brando dans le droit chemin. Et Brando sortait cette réplique géniale :

« Arrête de m'emmerder, va pleurer dans ta cour. »

Moi aussi je voulais dire ces phrases-là sur ce ton-là. « Va pleurer dans ta cour », c'est génial, non ? Quand on est jeune, on bloque sur des répliques et des attitudes. On a un scénario qui vous met les bons mots dans la bouche, moi qui ai toujours peur de dire une connerie, j'aimais cette idée. Je regardais en boucle les films de James Dean et je mimais les gestes. Sa dégaine, sa manière de tirer ses clopes de son paquet souple, sa façon de les allumer, de vous regarder dans les yeux. Je voulais être comme lui, interpréter des personnages. J'avais juste envie de faire le métier que j'aimais. Les autres ont fait de moi ce que je suis.

Je me souviens aussi d'avoir vu *Loving You* avec Presley, j'étais déçu au début, je voulais voir un western. Et quand il s'est mis à chanter « Hound Dog », là j'ai compris. Les filles dans la salle criaient en le voyant. Je suis revenu le lendemain, et le jour d'après. Je voulais faire Elvis, je voulais faire James Dean, et je suis devenu moi. J'ai fait les choses avec passion, du mieux que je pouvais, mais jamais je n'ai pensé que ça allait durer. Je me demandais toujours ce que j'allais faire l'année suivante. J'ai vu une émission avec le chanteur de Danny Boy et ses Pénitents ; il est devenu poissonnier sur les marchés. C'est sûrement un beau métier, mais quand on a touché à ça, à la force que tu ressens quand tu es sur scène, comment on gère la suite ? Quand la suite se joue sans toi. Quand t'es plus au générique. J'ai toujours eu peur qu'on me dise : « Le tour est fini, on descend du manège, mon p'tit gars ! »

Je n'ai jamais su que j'avais du talent. Je suivais mon instinct, pas mes convictions. Sur scène, j'ose des choses que je n'oserais jamais dans la vie. Jean-Philippe Smet n'est plus le même. J'ai grandi dans des cabarets, je voyais les strip-teaseuses entrer et sortir, ma tante se transformer sur scène. J'étais assis sur une petite chaise, ou une malle, à la sortie des coulisses. Pour moi, grandir, c'était aller là-bas, sous les lumières. C'était ça, la vie. C'est ce qu'on m'a appris. La vie des autres gens, je ne la connaissais pas. C'est dans celle-là que je ne suis pas doué, j'ai mis du temps à apprendre la vie normale. Je n'ai pas cessé de voyager. Chez moi, c'était nulle part et partout. Je me suis toujours bien entendu avec les gitans grâce à ça. Je les aime bien, moi, les gens du voyage : partir, ne jamais s'arrêter longtemps, ouvrir grands les yeux et ne pas se retourner quand la vie avance vers l'inconnu. J'ai plusieurs maisons parce que je ne peux pas rester bloqué dans une seule voie, une option. J'adore arriver quelque part mais je ne repars jamais le cœur serré. Ça m'excite toujours autant : ailleurs.

J'aimais la vie de cirque. J'ai des souvenirs frappants. Helsinki m'a marqué, enfant. Le jour qui n'en finit pas ou les nuits infinies. Entre cauchemar et poésie. C'est le reflet de mon existence : la frontière ténue entre les deux, le sublime et le sordide.

Quand j'avais six ans, j'étais petit rat à l'Opéra de Paris. Je prenais sept heures de cours par jour. J'y ai appris à surmonter la douleur, à me taire, à reproduire, à m'appliquer. La danse forge des caractères d'acier. Un jour, un prof m'a mis la main au cul et j'ai arrêté.

J'ai toujours eu la force de choisir les bons chemins. C'est étonnant pour un enfant abandonné, mais j'ai eu comme un bouclier invisible, une protection instinctive. C'est sans doute l'amour de ma tante Hélène qui m'a encerclé.

Pour mes huit ans, Desta m'avait fait engager à Londres pour faire partie du corps de ballet du *Lac des cygnes*.

Je ne suis pas malheureux de ne pas avoir continué dans cette voie.

De retour à Paris, j'ai enfin connu les bandes de potes, ceux qu'on voit chaque jour, les gens qu'on n'est pas obligé de quitter à la fin du voyage. C'est la période de « la bande de la Trinité ». On était des petits blousons noirs, pas méchants. On se baladait pour rencontrer d'autres bandes et se battre. Très intelligent, non ?

Tous les soirs dans le square de la Trinité, je rejoignais Jean-Claude Testaert, Jean-Louis Licard, Jean-Pierre, le frère de Francis Huster, et puis mes plus vieux amis, Haoli Kalafate et Gérard.

On parlait sur les bancs, on rêvait de filles, de cinéma. On aimait chourer des disques. J'étais le spécialiste pour piquer des vinyles. On rêvait de Presley. On traînait. On parlait plus qu'on ne faisait.

Je chantais pour me payer mes cours de comédie. Mon obsession, c'était d'être acteur. J'y pensais sans cesse. Je chantais dans des bals ou au dancing du Moulin-Rouge. Il me semble que Jacques Dutronc était à la guitare. J'avais juste assez avec mes petits cachets pour aller chez Marie Marquet et apprendre à jouer sur scène. J'aimais les planches, l'odeur du théâtre, la peur de mal faire, l'excitation de se glisser dans une autre peau, de dire des mots qu'on n'aurait jamais dit dans sa vraie vie. C'est ce qui m'animait. Et je chantais pour me payer cette ivresse-là. La musique était une passion mais je n'imaginais pas que ça deviendrait mon métier. Je le faisais parce que pour moi c'était facile, j'avais toujours vu ma famille faire ça, monter sur l'estrade et mouiller la chemise. Pour moi le trac, c'était vivre en dehors de la scène. Dans les dancings, je n'avais pas peur de soutenir les regards des filles quand je chantais mais après, en face à face, j'avais les joues coquelicot.

On allait à la patinoire Saint-Didier aussi, dans le seizième arrondissement de Paris. On regardait les filles, on faisait les malins. C'est là que j'ai rencontré mon ami Christian Blondieau. J'avais insisté auprès du disquaire de la patinoire pour qu'il passe « All Shook Up » de Presley, et Christian, qui portait un blouson à l'effigie du King, est venu me parler. On est devenus inséparables. On allait au Snack Spot à côté de la gare Saint-Lazare boire des milk-shakes et déchiffrer des partitions tout droit arrivées des États-Unis.

C'est un copain de baston qui nous a emmenés pour la première fois au Golf-Drouot. C'était une salle à l'angle de la rue Drouot et du boulevard des Italiens. C'était un peu la même ambiance que le 65 Caves à Londres.

C'est là-bas que j'ai eu mon premier diplôme. Un diplôme de rock'n roll « mention formidable ». Ironique, non ? Moi qui n'ai jamais décroché mon certificat d'études !

Je ne pensais pas que le rock pourrait être apprécié en France. C'était un mouvement isolé, écouté en cachette par des jeunes. Le journal *Salut les copains* a beaucoup aidé à ce que les mentalités évoluent et, du coup, à ma propre carrière. J'étais le chouchou de Filipacchi, le patron du journal et l'animateur radio de l'émission du même nom. Pour le quatrième anniversaire du magazine en 1966, toute la jeune chanson française de l'époque pose pour le poster central. C'est une photo devant un mur de brique avec le nom du journal, ils sont tous au même niveau comme sur une photo de classe et, moi, on m'a mis sur une échelle, je surplombe les autres. C'est Jean-Marie Périer qui au dernier moment m'a dit : « Tiens, Johnny, mets-toi là, ce sera mieux, je ne te vois pas sinon… » Il voulait ménager les susceptibilités ! Il y avait Gainsbourg, Vartan, Adamo, Sheila, Richard Anthony, Dave, Françoise Hardy, Eddy, Frankie Jordan, Dick Rivers, Hervé Vilard… J'en oublie plein, on devait être soixante-dix ! Je crois que cette photo était importante dans l'imaginaire collectif, elle me plaçait comme « le boss ». Adamo était une immense star par exemple, ça n'avait pas de sens que je sois au-dessus. Mais ma carrière, c'est aussi ça, les échelles qu'on me fait monter au dernier moment et qui me font passer des nuages au ciel.

J'avais mis six ans à en arriver là. De mon premier disque à ce cliché. Seulement six ans. Pendant ces années, depuis les rues du neuvième où je traînais avec ma bande aux concerts bondés où les gens hurlaient mon nom, que s'est-il passé ? Tout est allé trop vite. Je m'en souviens comme d'un tourbillon, d'un destin pressé qui ne me laisse pas le temps de profiter des moments. Bien sûr, il y a eu le Golf-Drouot d'Henri Leproux où j'ai rencontré ceux qui allaient faire la musique dans les années à venir comme Dutronc ou Dany Logan, et des amis importants aussi, comme Long Chris.

Il faut que j'essaie de mettre de l'ordre dans cette aventure qui m'a mené sous la lumière dangereuse de la célébrité.

Tout a vraiment commencé par l'émission de radio « Paris Cocktail » de Pierre Mendelssohn. Je chantais quatre chansons dans l'émission consacrée à Colette Renard. « Let's Have a Party », « Blue Moon », « Tutti frutti » et une autre, je ne sais plus…

Je portais un costard cintré couleur prune et une chemise noire avec des rayures dorées. La classe, quoi.

Et là on m'informe que Jacques Wolfsohn, le directeur artistique de Vogue, a remarqué ma prestation et veut me voir le lendemain. Il me présente Jil et Jan, deux super compositeurs. Je leur fais écouter une de mes compositions, « Laisse les filles », et Jan me dit : « Je cosigne les musiques avec toi. »

Bienvenue dans le show business ! Peu importe, j'avais seize ou dix-sept ans. Mon premier 45 tours allait sortir. Je n'y croyais pas moi-même en le prononçant... Je me disais que c'était un mensonge quand je m'entendais en parler à haute voix. Je l'avais enregistré rue Jouvenet dans le seizième, dans un tout petit studio d'enregistrement. C'est Léo Petit qui dirigeait « l'orchestre ». Le disque est sorti le 14 mars 1960, et le rock'n roll est né en France ce jour-là, avec moi, et moi je suis né pour la seconde fois.

Ma mère me dit régulièrement :
tu ne fais rien, tu perds ton temps,
tu ferais mieux de travailler au lieu de t'en aller
traîner.
Laisse les filles...[5].

Au dos de la pochette, ils disent n'importe quoi, selon eux j'ai un père américain, j'ai été élevé dans un ranch et je chante aussi bien en anglais qu'en français. C'est à peine si je ne suis pas en photo avec mes vaches. J'apprends que je vais me plier à ce qui se vend le mieux, ils vont me transformer en lessive et je ne choisis même pas le nom de ma marque. Un truc me ramène à la réalité, une grosse déception : sur la pochette, ils se sont plantés dans mon nom de famille : au lieu de Johnny Halliday, ils ont écrit

* Les notes figurent en fin de volume.

Hallyday avec deux y. Naïvement je dis au boss de la maison de disques qu'il faut tout refaire. Je l'entends rire. Et dans son rire il y a toute la terreur de ce métier. Je ne suis peut-être pas là pour longtemps. Peut-être même que le disque ne marchera pas. Va falloir me faire aux deux « y ». Me voilà donc rebaptisé Hallyday et, en juin, je sors mon premier « tube de l'été », je n'ai même pas dix-sept ans. « Souvenirs, souvenirs » est l'adaptation d'une chanson de Cy Coben que chantait Barbara Evans. Au dos de la pochette, j'obtiens d'être un peu plus moi. Il y est inscrit : « Vous connaissez maintenant Johnny Hallyday », les deux y sont là pour toujours… « Vous êtes ses fans car vous possédez son premier disque. » Les fans donc, les fans en délire d'Elvis, voilà qu'on va les importer en France. C'était un mot nouveau. Le public semble s'emparer du phénomène comme je le fais avec la musique venue de là-bas. Chacun dans nos rôles. Je me trémousse et les filles crient, les foules poussent, ils apprennent à devenir fans et j'apprends le rock'n roll… Je ne m'arrête plus, la maison de disques Vogue sent qu'elle tient un filon et moi j'ai peur d'entendre le rire à nouveau, alors je bosse, je bosse. Et je n'ai jamais cessé.

Le 18 avril 1960, Line Renaud, meneuse de revue au Casino de Paris, une vraie star, m'a fait venir dans « L'école des vedettes ». Je me souviens, c'était un lundi de Pâques. J'ai débarqué là un peu par hasard, je remplaçais au pied levé un mec malade. Le destin… C'était une émission géniale, le premier radio-crochet filmé. « La Star Academy » n'est pas une invention ! Il s'agissait pour un artiste reconnu de parrainer un artiste en devenir. Je devais chanter en direct. Chanter, ce n'était pas un problème pour moi. Mais répondre avant ça aux questions d'Aimée Mortimer… J'avais une trouille bleue. Je bafouillais. Line tentait de meubler, disant que j'étais moitié américain, moitié français, sans doute pour justifier le fait que je n'articulais pas un mot ! Et puis j'ai pris ma guitare… Une seule chanson. Line me connaissait à peine et m'a regardé avec bienveillance tandis que j'interprétais « T'aimer follement ». Je me suis déhanché comme un fou, je me suis mis à genoux, un vrai ado dans sa chambre qui imite les vedettes américaines et qui en rajoute. À la fin de ma chanson, Line Renaud, qui avait pourtant l'air un peu déstabilisée par ma prestation, a dit ce qui symbolise bien ma carrière : « C'est le public qui est seul juge. » J'ai été adopté par la France, la jeunesse d'abord. Les ventes du 45 tours ont décollé. On est passé de trente mille à cent mille exemplaires en quelques semaines. J'ai enregistré dans la foulée « Souvenirs, souvenirs » au milieu de trois autres titres et, là, le succès est arrivé comme ça, fracassant. Ça ne s'explique pas vraiment. C'est un peu comme l'amour, on ne comprend ni son entrée soudaine dans notre vie ni son départ. Parfois l'amour nous quitte de manière sinistre. Je l'ai appris très tôt à mes dépens.

La première fille avec laquelle j'ai vécu s'appelait Patricia Viterbo. C'était une belle fausse blonde que j'ai eu le temps de voir brune. Une actrice qui a joué dans les adaptations cinématographiques des romans de Frédéric Dard. Elle m'impressionnait. Un soir, elle était en tournage au bord de la Seine. On la filmait dans une voiture. Le frein à main n'était pas serré. La voiture a percuté le pont et l'a défoncé, elle est tombée à l'eau. Patricia ne savait pas nager, elle est morte noyée. Mes placards étaient pleins de ses vêtements, de son odeur. Elle avait vingt-sept ans. Le chiffre maudit... Celui du Club des 27 : Joplin, Hendrix, Morrison, Brian Jones, Kurt Cobain...

La mort, les accidents de voiture, l'eau qui engloutit la vie : ont toujours rôdé. J'ai toujours eu conscience de la fragilité des choses, je sais qu'il faut profiter des moments. Tout passe. Je fais un bras de fer avec la mort et, pour l'instant, je ne plie pas. Je danse, je chante, je survis à tout.

En 1961, j'ai rencontré une personne précieuse dans ma vie : Catherine. J'apparaissais dans un film à sketches, *Les Parisiennes*. « Sophie », la partie dans laquelle je jouais, était réalisée par Marc Allégret. Catherine Deneuve jouait Sophie, une lycéenne vierge et timide mais qui racontait aux filles de sa classe qu'elle avait un homme dans sa vie qui lui faisait l'amour. À la sortie du lycée, ses copines la suivaient en douce pour voir le fameux amant. Comme elle avait repéré qu'elle était suivie, Sophie entrait au hasard dans un immeuble. Elle montait tout en haut jusqu'au toit en pensant redescendre par un autre immeuble, mais elle débarquait dans une chambre de bonne occupée par un jeune guitariste que j'interprétais et qui lui chantait « Retiens la nuit ». Et là une vraie histoire d'amour s'amorçait, nous descendions dans la rue et les copines croyaient en son bobard qui n'allait pas tarder à devenir la vérité.

On a sorti « Itsi bitsi petit bikini », c'était marrant et j'en ai vendu, mais ce n'était pas vraiment ma tasse de thé, je trouvais même que c'était de la merde, moi je voulais faire du rock, surtout que Dalida et Richard Anthony avaient décidé de reprendre le titre en même temps. Donc on était trois avec la même chanson et le directeur des programmes d'Europe 1, Lucien Morisse, qui était en couple avec Dalida, a cassé mon disque en direct à l'antenne. Moi, j'étais assez fier parce qu'un disc-jockey américain avait fait la même chose avec un disque d'Elvis Presley. Il promet que cet « inconnu le restera » ou, tout au moins, que je ne passerai plus sur les ondes de la station. Pour une fois, le grand Lucien Morisse s'est trompé.

J'ai fait encore quelques chansons chez Vogue et on m'a vite envoyé au charbon un peu partout. J'ai beaucoup été aidé par Claude Wolf, mon tenace attaché de presse de l'époque qui était le compagnon de Petula Clark. Ce n'était pas évident, les gens ne voulaient pas parler de moi.

Après l'été que j'avais passé en partie à Juan-les-Pins, il fallait que je signe à nouveau un contrat avec une maison de disques. Vogue était bien sûr sur les rangs et Léon Cabat pensait que je resterais naturellement chez lui. Il avait été le premier à me faire confiance, et il me l'a répété un tas de fois. Pourtant j'étais assez méprisé chez Vogue, mes enregistrements étaient toujours vite faits avec des musiciens qui détestaient le rock, et je devais parfois chanter des titres à contrecœur. C'est dur de se trimballer des chansons qu'on n'aime pas pendant des années sur scène. En dehors de tout ça,

Léon Cabat a fait une chose rédhibitoire pour moi. C'est drôle, mais c'est des petits gestes, des attentions, des mouvements de tête qui ont décidé de ma vie et de ma carrière.

Pendant cet été à Juan-les-Pins où je chantais tous les soirs, Léon Cabat est venu me rendre visite avec sa femme. J'avais une angine et une fièvre de cheval et ils arrivent, me parlent comme à un gosse que j'étais, mais seulement quand ça les arrangeait. Quand il fallait monter sur scène même avec de la fièvre, enchaîner les séances de travail, là j'étais un homme fort… Et avec le plus grand mépris, ils m'ont offert un pyjama à rayures. Comme si j'étais un ado dont on pouvait se foutre. Quand je suis rentré à Paris un mois plus tard, j'ai reçu mes comptes et j'ai vu qu'ils avaient déduit le pyjama de ma paie. J'étais écœuré.

Ce n'était pas le seul à ne pas avoir été élégant. Quand la bataille des maisons de disques a commencé pour me signer, ça a été une surenchère de mauvais goût…

« On va aller voir ta mère. Si tu restes chez moi, je vais t'offrir un Riva. Ça te dirais, ça, mon grand ? » Il m'a tapoté sur la joue. Ça m'a vexé qu'il me traite comme un con intéressé, jamais comme un artiste. C'était un marchand ambulant, ce Cabat.

Heureusement, son influence sur moi était limitée.

J'ai eu de nombreux pères d'adoption dans ma vie, et je les ai plutôt bien choisis. Lee d'abord. Puis ceux que j'avais fantasmés, et les autres.

Aznavour a été un de ceux-là. J'ai vécu chez lui pendant deux ans. J'avais seize ans et demi. C'est lui qui a écrit mon premier gros tube quelques années après, « Retiens la nuit ». Il se moquait de cette légende selon laquelle j'avais un père américain. Je pense que Charles aurait voulu être mon père et, moi, j'aurais adoré être son fils. J'avais toujours ma place à sa table, juste à côté de lui. Son regard sur moi m'a porté. Charles me tannait pour que j'aille signer chez Barclay. Brel, Eddie Barclay et Aznavour se sont un jour réunis tous les trois pour me faire signer mon contrat... L'avocat de la maison de disques qui était là a soudain réalisé que j'étais mineur et qu'il m'était donc impossible de signer seul, mes parents devaient le faire pour moi. Sur le chemin qui m'a mené chez ma mère, j'ai décidé de signer chez Philips, chez Louis Hazan. Lee préférait que je signe là-bas. Et je montrais que j'étais libre. Qu'on ne ferait pas ce qu'on veut de moi en me secouant des joujoux sous le nez. C'était comme faire ma crise d'adolescence, et couper en douceur le cordon avec un de mes pères spirituels, monsieur Charles Aznavour.

J'avais commencé les cours de chant avec madame Fourcade. Tous les chanteurs français sont passés chez cette dame. Elle m'a expliqué comment chanter avec le diaphragme, tout en bas, avec le ventre, avec mes tripes. C'est aussi ce qui me valait de chanter les jambes bien écartées pour prendre appui et c'est devenu une de mes marques de fabrique. Toutes les grandes voix vont chercher de la puissance avec cette posture, regardez Céline Dion...

Je passais mes nuits dehors. C'était un chouette moment de ma vie, mais je ne le savais pas. C'était cette grâce qu'est la promesse de ce qu'on peut devenir, les jours qui frémissent. Et là, j'ai rencontré l'amour. C'est Daniel Filipacchi qui m'a mis Sylvie Vartan dans les bras alors qu'ils étaient sur le point de se séparer. Ça a été ma chance. Elle m'a fait du bien, cette fille. Je suis tombé amoureux d'elle mais aussi de toute sa famille. C'était nouveau pour moi. Néné, sa mère, s'occupait de moi. Et puis ils avaient une histoire qui me fascinait. Ils avaient fui la Bulgarie tous les quatre cachés dans les essieux d'un train. Sylvie avait six ans à l'époque, son frère aussi était un gosse. Pour moi, c'étaient des héros. Ils avaient traversé ça ensemble. C'était un clan, et voilà qu'on m'ouvrait la porte pour que j'en fasse partie. J'aime découvrir de nouvelles cultures, de nouveaux plats, des traditions. J'aime qu'on m'adopte. Quand Sylvie et son frère sont arrivés en France, ils ne parlaient pas un mot de notre langue. On venait, elle comme moi, d'une vie où tout avait été difficile. On savait les routes tortueuses, la peur de manquer, les gens qui montrent du doigt. Au fond, nous n'étions pas dupes de ce qui nous arrivait et on se battait pour tout, ça a tout changé dans nos carrières. Sylvie était une jeune femme de mon âge qui comprenait ce que je vivais. Comme deux enfants perdus dans un rythme qu'une passion pour la musique nous avait imposé. Nous vivions à contretemps des autres, tout en étant leurs modèles, en parlant de leurs rêves, leurs trouilles. Il y avait une bande autour de nous qui grandissait, une bande de fidèles, de profiteurs aussi, mais on se marrait. Parmi les amis sincères, il y avait Jean-Chrysostome Dolto *alias* Carlos. Je l'avais rencontré à Antibes quand je chantais au Vieux-Colombier, là où Cabat m'avait offert le fameux pyjama de l'humiliation. La mère de Carlos avait une maison là-bas. Il était sympa, il était très intelligent. Ses parents voulaient qu'il devienne kiné, ça le faisait chier. Je l'ai engagé comme secrétaire. Puis il est devenu l'assistant de Sylvie et notre ami intime. C'est Sylvie qui lui a fait chanter « Deux minutes trente-cinq de bonheur ». Ce qui est drôle, c'est que c'est lui qui a présenté « Salut les copains » après Lucien Morisse. Et mes disques sont revenus en bonne grâce... Il était si intelligent, si drôle. Une rencontre importante dans ma vie, comme toutes celles que j'avais pu faire au Vieux-Colombier : Brel, Hugues Aufray, Brassens. Je chantais tous les soirs. Raymond Devos, en me voyant, m'a engagé pour faire sa première partie à l'Alhambra.

Mon destin tient beaucoup au talent que des hommes talentueux ont voulu me prêter. Sûrement j'en avais, mais leur confiance a dû le doubler, l'aider, le transformer en certitude.

L'Alhambra, c'était un lieu immense pour l'époque et Devos n'avait pas l'habitude de se produire dans ce genre de salle. C'était son grand moment de 1960, sa façon de se populariser. Avant lui il y avait un tas de numéros, des types qui faisaient danser des assiettes sur des tiges, des chanteuses cubaines, des acrobates. C'était un peu le cirque. Moi j'étais présenté comme le jeune prince du rock'n roll et ils m'avaient à nouveau affublé d'une biographie délirante, j'étais le fils d'un fermier américain qui avait passé son enfance dans l'Oklahoma. Un cow-boy qui écoutait Bach pour composer au calme. Vous imaginez l'ambiance ? Déjà que la presse arrivait avec l'envie de me détester, ça n'aidait pas !

En bas de la salle, il y avait le beau public, les gens assis dans des fauteuils numérotés : les culs serrés. Et dans les étages, il y avait toute ma bande du Golf-Drouot, et puis mes premiers fans un peu partout. Quand je suis arrivé avec ma guitare, soudain la salle s'est clairement divisée en deux : pour ou contre moi. En haut, ils se déhanchaient et hurlaient, en bas ils chuchotaient, certains riaient, d'autres tapaient poliment des mains. On se disait outré. Salvador a crié : « Sortez-le ! Il est indigne de la chanson française ! »

Michel Polnareff m'a raconté bien plus tard qu'il était dans la salle avec ses parents et qu'ils lui avaient flanqué une baffe pour avoir dit préférer la première partie au reste du spectacle. J'étais devenu le mec qui incarnait le conflit de génération. Le lendemain la presse se déchaînait contre moi. Jane Berteau, la directrice du lieu, demandait qu'on me débarque de la programmation. La presse était immonde.

J'ai bien cru que Raymond Devos allait céder et me virer, mais il est venu me parler avec son ton affectueux, je devais jouer trois chansons, il m'a dit d'en jouer cinq. Ça le faisait bien rire. Il adorait ça. Il était libre. Je suis remonté sur scène enveloppé de son sourire qui me disait : Tout ça, c'est pas bien grave. C'est pour de faux.

Ce soir-là, Bruno Coquatrix était dans la salle. À la fin de mon tour de chant, il me regarde dans les yeux : « Petit, je te prends l'an prochain en vedette à l'Olympia. »

C'était un petit bonhomme joufflu, bienveillant et malicieux. Il a soufflé la fumée de son cigare et on s'est serré la main. À ce moment-là, je prenais mes décisions frontalement, immédiatement et seul. Mais dans la même semaine, j'ai rencontré Johnny Stark qui était le manager de Line Renaud et est devenu le mien. Moi aussi j'ai eu ma « Memphis Mafia », mon colonel Parker, c'était Johnny Stark. Pendant quatre ans il ne m'a donné que la moitié de ce que je gagnais, il gardait l'autre moitié pour les impôts. Quand je me suis aperçu qu'il les gardait pour lui, j'avais quatre années d'impôts impayés avec majoration. Qu'importe ! Il a sûrement compté dans ma carrière, un escroc malin pour lui et pour moi. Stark fumait lui aussi le cigare, mais c'était un colosse. C'est lui qui a fait de Mireille Mathieu la star internationale qu'elle est devenue. Johnny Stark est le premier grand traître de mon entourage, mais il a ouvert la voie à beaucoup d'autres.

L'effet médiatique de l'Alhambra fut inimaginable. Je m'en suis pris plein la gueule, disons-le. Grâce à cette haine je suis devenu un phénomène, on était pour ou contre Johnny Hallyday, mais tout le monde savait qu'il existait. Ma participation au festival rock'n roll du Palais des Sports en février 1961 n'arrangera pas les choses, on m'imputera le mouvement de foule violent qui a valu à la salle sept cents fauteuils cassés, des dégâts matériels dingues, des bagarres dans la rue, des interpellations. Les journalistes ont décidé que j'étais le coupable idéal : le gourou des fauteurs de troubles. Mais en voulant me rayer de l'affiche, la presse m'a transformé en mec à part, ils m'ont stigmatisé, montré du doigt. Au bout du compte on oublie l'événement en soi, on se souvient que je le crée. À mon grand désespoir, car par la suite certaines municipalités décideront de m'interdire leurs salles.

Mon premier Olympia arrive, cette année a passé vite comme les autres. On m'a volé ce temps de l'ennui, des rêves enfermés. J'ai eu la vie de vedette, donc tout paraissait court comme quand on a beaucoup vécu. Ce fut ma peine.

Je viens de fêter mes dix-huit ans. C'est le premier concert rock annoncé en lettres rouges sur le boulevard des Capucines. Tout Paris est là, on ricane mais on vient. Sacha Distel, Marlène Dietrich, Line Renaud, Aznavour, et Édith Piaf… Il faut gérer ça, cette foule en délire, moi qui ai tellement le trac de monter sur scène. Le trac ne m'a jamais lâché, je me suis simplement habitué à le subir. Je l'attends comme un ami qui fait peur. Et puis quand j'y suis, je donne tout. Je n'économise pas une goutte de sueur. Et ça n'a pas changé. C'est sur cette scène que j'ai lancé la mode du twist qui arrivait des États-Unis. À la fin du premier concert, Bruno Coquatrix était si heureux qu'il m'a serré dans ses bras avant le dernier rappel en oubliant de retirer son cigare de la bouche. Il m'a brûlé toute la joue. C'était mon vrai baptême du feu !

Bruno Coquatrix habitait juste au-dessus de l'Olympia. Après quelques concerts, il me dit : « Petit, ce soir tu montes dîner. » Ça voulait dire que Bruno faisait des pâtes. Il faisait tout le temps de très bonnes pâtes à la sauce tomate. Le type qui se déchaînait sur scène était encore un gamin timide en société. Je débarque et, là, Édith Piaf. Elle clope, elle me regarde. L'appartement est petit, haussmannien. Juste au-dessus de la salle mythique. Paulette et Bruno vivaient là avec leur fille Patricia. Ils étaient chaleureux. Coquatrix avait le génie de dénicher de nouveaux artistes. C'est lui qui a fait l'Olympia. À l'époque ce n'était pas une salle comme une autre, c'était un laboratoire, une prescription musicale. Et ça changeait le destin des chanteurs à jamais. Piaf a beaucoup aidé Coquatrix. Elle avait l'œil, elle a repéré Bécaud, Aznavour. Bruno l'écoutait. Piaf était venue me voir chanter tous les soirs. J'étais flatté, mal à l'aise. Je ne parlais pas trop en mangeant mes pâtes et on devait avoir l'impression que je subissais les compliments. Je m'assieds à côté d'elle et, au milieu du repas, je sens sa main qui monte sur ma cuisse. Je demande les toilettes à Bruno. Elles étaient proches de la porte d'entrée. J'ai hésité, puis je suis sorti et je me suis barré en courant. J'ai fui Piaf. J'étais presque puceau à l'époque. Je ne me voyais pas dans son lit. Pour moi, c'était une vieille dame. J'ai joué trois semaines à guichets fermés devant l'Olympia en délire et je n'arrivais pas à soutenir les avances de Piaf… C'est absurde quand on y pense. Je me revois sous la pluie, gamin qui courait, libre, insouciant, effrayé. Je me revois qui fuyais la vie qu'on me tendait et qui créais la mienne. J'ai toujours été libre. Oui, je cours sans parapluie et Piaf m'attend là-haut… Elle attendra, tant pis, j'ai la vie devant moi.

Pour mes dix-huit ans, grâce à ma récente émancipation, je me suis offert mon rêve : ma première automobile. C'était une Triumph, une TR3 blanche. Conduire seul dans les rues la nuit, c'était la liberté, la vraie. Enfin l'expression « gagner ma vie » prenait tout son sens.

En 1963, pour l'anniversaire de leur émission de radio « Salut les copains », les producteurs Daniel Filipacchi et son compère Frank Ténot ont eu l'idée d'inviter les auditeurs d'Europe 1 à un immense concert gratuit organisé place de la Nation. Pour ceux qui n'ont pas vécu les années SLC, c'est difficile d'imaginer ce que représentait cette émission. Elle passait chaque jour entre dix-sept et dix-neuf heures sur Europe 1, l'heure à laquelle les lycéens rentraient chez eux pour se précipiter devant le poste. Ils passaient surtout des standards américains qu'on avait du mal à entendre ailleurs et puis ces mêmes chansons souvent réinterprétées par toute une bande de chanteurs en vogue dont je faisais partie. Le magazine *SLC* achevait la panoplie du jeune de l'époque. C'était quasiment incontournable. Il n'y avait pas le choix de maintenant, et cette émission et ce magazine étaient les seules choses qui parlaient « leur langue ».
Retour en 1963 donc, en plein dans ce phénomène générationnel.
« La Nuit de la Nation » est censée être une

surprise-partie géante pour la jeunesse. On me propose de venir chanter. Il y a toutes les stars de l'époque : Alamo, Richard Anthony, Les Chats Sauvages, et Sylvie aussi. Le soir, surpris par leur succès, les organisateurs voient cent mille personnes massées ! Une heure plus tard, elles étaient le double. Je pense que le service de sécurité était complètement dépassé. Je tournais *D'où viens-tu, Johnny ?*, donc j'arrivais du sud de la France avec Sylvie. Nous avons atteint la scène dans un camion de la police, c'était inaccessible. Et ça a été l'émeute. Tout le monde scandait mon nom, personne d'autre ne semblait exister. Même pas Sylvie près de moi, ça a été dur. Disons que, ce soir-là, j'ai vraiment été la seule star. Du coup, le lendemain la presse m'associait aux débordements et aux blousons noirs, mais la jeunesse me portait comme son emblème au-dessus de tous les autres, et surtout le rock n'était plus un phénomène isolé. Les chanteurs de « La Nuit de la Nation » incarnaient désormais les années yé-yé. Il me semble même que le terme est né ce soir-là, inventé par un journaliste à cette occasion, le lendemain. Une jeunesse avilie qui ne fait qu'écouter de la musique en chantant yeah, yeah !

Les jours qui ont suivi, une fan libanaise m'a offert un bébé guépard. Cadeau étrange et irrésistible. Je l'ai gardé, je l'emmenais partout avec moi. Je le tenais au bout d'une laisse et, ce qui est sûr, c'est qu'on me fichait la paix à la sortie des concerts ! J'ai un souvenir très drôle lors d'un spectacle à Genève. Je chantais accompagné du grand violoniste Stéphane Grappelli... Et le guépard s'est échappé de ma loge. Il a couru sur la scène et il a sans doute eu peur, en tout cas il s'est, disons, « oublié » et il a empesté toute la salle. Il a fallu faire venir un service de désinfection, on se serait cru dans un cirque ! J'ai gardé ce guépard une bonne année. Puis, il est devenu agressif. Je ne voulais pas m'en séparer mais une nuit, je dormais, il a grimpé sur moi, j'ai ouvert les yeux et il était sur moi, quand j'ai voulu l'enlever, il a ouvert la gueule et là, j'ai vraiment eu peur... Je l'ai donné à un zoo. Oui, c'était rock'n roll, ou yé-yé plutôt... J'ai oublié son nom, à ce guépard, mais Yé-Yé ça aurait sonné pas mal.

Avant d'être récupéré plus violemment par les soixante-huitards, les yé-yé, c'était plutôt le symbole de la différence, de la liberté, d'une jeunesse qui voulait réinventer des codes. À tel point que lorsque j'adoptais les règles en place on me le reprochait. Je me souviens d'un concert à Trouville, le 14 juillet de cette même année, où on m'a reproché de chanter *La Marseillaise*. On voyait de l'insolence dans chacun de mes gestes. Tous les artistes sont un peu provocateurs. Il s'agit de ça, non ? Tailler une brèche dans la réalité pour qu'on puisse voir derrière. Certains ne font qu'ouvrir un peu, d'autres détruisent un monde pour en montrer un autre, à vif. C'était le cas de Piaf, par exemple. Elle ne se protégeait de rien.

J'ai revu Édith plus tard après cet épisode de l'Olympia. Je l'ai croisée en studio, elle était adorable ; c'était une artiste démente. Dans la vie, elle était portée sur le pinard et le sexe, ça me la rendait sympathique. La première fois que je l'ai vue sur scène, j'ai pleuré. Même les paparazzi dans la salle, qui voyaient un concert par soir et n'avaient plus de cœur, se mettaient à chialer quand elle chantait. On voyait cette petite bonne femme arriver, elle marchait quelques pas et puis sa voix sortait, et là... Piaf, c'était quelqu'un. Voilà, je l'ai éconduite pourtant. Il faut dire aussi que j'étais maladivement timide quand j'étais jeune. Je devenais rouge jusqu'aux oreilles dès qu'on me parlait. J'essayais de me maîtriser, mais plus j'y pensais plus j'étais rouge. Un chanteur tomate mûre quand une fille lui parle, ça le fait pas. J'ai souvent eu l'air hautain parce que je préférais ça à l'idée d'affronter certaines situations. C'est une des raisons pour lesquelles je me suis mis à picoler, ça me désinhibait. J'aime le monde de la nuit. On y vit autrement, on est enveloppé d'une innocence, d'un droit à la différence. Ce qui se passe la nuit ne compte pas, c'est une autre vie.

Très vite, j'ai beaucoup traîné dans les bars, les boîtes, j'adorais découvrir des gens, rire, boire des verres. Un soir, j'étais au Marquise, et je dînais avec Otis Redding. Il y avait une salle de restaurant et puis une autre à la suite, comme un petit club où jouaient des inconnus. J'entendais une musique qui arrivait jusqu'à moi. J'étais hypnotisé, scotché. J'avais rien entendu qui sonne comme ça. C'était pas que de la guitare. C'était un peu de guitare et beaucoup de magie. Je me suis levé pour voir. Je ne parvenais pas à me concentrer sur autre chose. Il y avait un mec seul qui jouait. La salle était presque vide. Devant la scène j'ai reconnu le bassiste des

Animals. Il m'a désigné l'espèce de guépard génial sur scène et il m'a dit : « Je suis son manager. Il s'appelle Jimi Hendrix. »

Je l'ai engagé tout de suite pour ma tournée qui durait quatre mois. C'était le mec le plus gentil du monde. Quand on est rentrés, il ne savait pas où dormir, alors je l'ai invité chez moi à Neuilly. Jimi ne ramenait jamais de nana. Il dormait avec sa gratte. Un jour je lui ai dit que c'était un malade et il m'a répondu : « J'ai peur qu'elle prenne froid », et il l'a serrée encore plus fort. On s'est bien marrés. Ce mec était angélique et tellement doué. Ensuite il s'est installé en Angleterre à Notting Hill. Il avait fait une chambre pour moi. On était des vrais potes. Un soir, il m'a appelé pour me dire que son premier titre sortait la semaine suivante et qu'il voulait que je le chante aussi en français. C'était « Hey Joe ». J'ai dit oui, plus par amitié que par conviction. Gilles Thibaut a écrit les paroles dans la nuit. La semaine suivante, nous étions numéro un ensemble, lui en Angleterre et moi en France. À cette époque, il était clean. C'était un type en or. C'est aux États-Unis qu'il est tombé dans la came. Et là, ça a été la fin. De notre amitié. Et d'un truc en lui. Il était loin. Personne n'a jamais remplacé Hendrix. Rien n'a remplacé le rock. Rien ne remplace rien. C'était une musique de détresse, de révolte. Le blues est une musique de douleur. Ce qui est sûr, c'est que c'étaient des cris humains qui se transformaient en art et puis qui faisaient ressentir des choses. Le rap, la techno, c'est pour une génération anesthésiée. En France, on avait notre blues. Brel, c'était un bluesman, un mec qui souffrait. Pour moi, c'était le plus grand. Quand je chante une chanson, j'essaie de vivre ce que je raconte. C'est à travers cette histoire que je donne de l'émotion aux gens. Je suis un acteur qui chante bien. Appuyer sur les mots, sur les silences aussi. Les chanteurs oublient la valeur du silence. Beaucoup de gens chantent bien, mais très peu savent comment faire résonner un mot selon ce qu'il veut dire à un moment précis. Si je devais coacher un artiste, c'est ce que je lui expliquerais en premier. Est-ce que tu sens cette douleur ou cet amour ? Pourquoi tu veux chanter ça ? C'est pour ça que les textes ont toujours eu une grande valeur pour moi. C'est Brel qui m'a donné envie de faire ce métier. Brel pour les textes et Elvis pour la voix. Le côté crooner, c'était aussi parce que le rock, le vrai, il était dur à imposer. Mes chansons sont vite devenues plus tendres comme « Retiens la nuit ». J'aime la country aussi… J'ai commencé à imposer un peu ce style avec « Tes tendres années »…

D'où viens-tu, Johnny ? a été ma première déception cinématographique. Cela dit, avec du recul, c'était vraiment nul. C'était une sorte de western à la française qui se passait entre Paris et la Camargue… Il y avait Sylvie Vartan, je jouais un jeune chanteur… Bref, un scénario d'une inventivité folle !

En avril 1965, je me suis marié avec Sylvie, à Loconville. On a essayé que la cérémonie ait lieu dans la plus stricte intimité. On avait juste l'impression d'avoir invité la France entière.

J'avais eu une permission de l'armée. Le curé nous avait balancés à la presse et le maire avait du mal à accéder à son bureau tant c'était bondé. On commençait par la mairie et on devait simplement traverser la rue pour aller à l'église. Je pense qu'on a mis vingt minutes pour faire cent mètres. Tout ressemblait à un grand cirque. Je n'avais pas le temps de regarder celle que je venais d'épouser, il me fallait écarter la foule. Le village entier était pris d'assaut. Nous avions tenu le lieu secret et puis, la veille, *Le Journal du dimanche* en avait fait sa une.

Nos témoins étaient Luce, la meilleure amie de Sylvie, et le photographe Jean-Marie Périer ainsi que Carlos et mon imprésario Johnny Stark. Ma mère n'avait pas été invitée aux noces. Je ne sais plus ce qu'il en était, je pense que je l'ai regretté. Elle suivait le mariage à la télévision. Les parents de Sylvie avaient tout fait pour le mieux. C'était un peu bancal et touchant, pourtant, tout ce qui nous ramenait au fait que nous étions deux très jeunes gens naïfs et persuadés que nous nous mariions pour ne jamais nous séparer était bon à prendre. Si j'avais su, je me serais plus protégé du cynisme ambiant au lieu d'apprendre à en jouer.

Sylvie et moi sommes partis une semaine aux Canaries en lune de miel… Et puis il a fallu retourner à la caserne, comme si de rien n'était…

À la radio, on entendait : « Tout devrait changer tout le temps, le monde serait bien plus amusant, on verrait des avions dans les couloirs du métro et Johnny Hallyday en cage à Medrano. »

Antoine en avait profité pour sortir « Les élucubrations ». Son fonds de commerce, c'était un peu d'aller contre moi. Alors j'ai joué son jeu et j'ai répondu avec « Cheveux longs, idées courtes ».

On nous a prêté de la haine, en fait on était deux jeunes mecs qui se marraient et avaient compris comment utiliser les médias.

Je me suis surtout concentré pour approfondir, être le meilleur, un « showman ».

J'ai connu mes musiciens à New York. J'ai écouté jouer Joe et son cousin bassiste, ça sonnait comme j'aime, je les ai engagés. Au même moment, Lee a entendu des types incroyables. À l'époque, ces mecs jouaient au Starclub de Hambourg et ils étaient venus en voiture de Londres pour passer une audition.

Lee m'a dit qu'il avait trouvé les musiciens qu'il me fallait, mais c'était trop tard. Un jour trop tard. Et ce jour a changé la face de la musique, puisque ces cinq types, c'étaient les Beatles. Les mêmes qui ont ringardisé Vince Taylor et le reste de mes idoles de l'époque. Qu'est-ce qui se serait passé si… ? Ça aurait sans doute tué leur créativité, je ne sais pas. L'histoire de la musique, l'Histoire même aurait changé. Je me demande souvent ce que seraient devenus certains artistes avec une toute petite différence dans leur destin, d'autres choix. Je me dis aussi que les morts prématurées subliment les carrières.

Cloclo par exemple, à quoi il aurait ressemblé aujourd'hui ? Je pense que c'est son drame qui en a fait un mythe. Claude François, c'était un vrai travailleur. Il bossait dix fois plus que moi. Mais il n'arrivait jamais à faire ce que je faisais. Ça le rendait fou. Jaloux. Il draguait mes nanas et, en désespoir de cause, il se tapait mes ex. C'était le circuit, tu savais que si tu sortais avec moi, tu pouvais ensuite te faire Cloclo. Parfois pour draguer je disais en me marrant : « Il te plaît, Claude François ? Tu veux sortir avec lui ? Alors viens sur mes genoux ! », ou quand je plaquais une fille je lui disais de se consoler, que bientôt elle serait avec Cloclo… Mais ce mec, il était très généreux. Il avait le cœur sur la main. Cette façon de me jalouser, c'était aussi de l'admiration, de l'amour. Je pense qu'il avait installé cette rivalité parce que ça le poussait à se surpasser. Moi je lui disais toujours de se calmer, on ne faisait pas la même musique. « Sois cool, je vais pas chanter avec des Claudettes et toi tu vas pas porter du cuir ! »… C'était plus fort que lui. Il voulait être le premier. Il voulait être Filipacchi aussi. C'est pour ça qu'il avait créé le journal *Podium*, pour rivaliser avec *Salut les copains*… Mais en définitive il restait numéro deux. C'est le drame de sa vie. C'était Poulidor.

Moi, j'ai aussi eu la chance de faire les bonnes rencontres. Aurais-je eu le même destin musical sans Berger, sans Goldman ?

J'ai rencontré Michel Berger par le biais de Nathalie Baye. J'avais besoin de me renouveler et Nathalie était très amie avec France Gall. Berger, c'était un monde opposé au mien. J'avais trouvé plus timide que moi en revanche. Il était si discret, si effrayé par la vie. On se parlait de ce qu'on aimait, de ce qu'on regardait comme films. C'est comme ça que je lui ai parlé de Kazan, de Tennessee Williams… Comme ça qu'est née la chanson… « Quelque chose de Tennessee », morceau sur lequel Nathalie disait un beau texte de Tennessee Williams en introduction.

Bizarrement, avec nos vies et nos caractères si éloignés, Michel et moi sommes devenus très amis. C'est lui qui a mis en scène mon spectacle à Bercy où je passais sous l'eau. Il avait un talent énorme, brûlant. Ça me fascinait. C'est lui qui a insisté pour que je reprenne « Diego ». Je me demandais comment la faire, je ne pouvais pas la chanter comme lui. J'ai pensé : « Je parle au début et je monte à l'octave. » J'ai prévenu mes musiciens. À la sortie de scène, je lui ai dit : « Alors ? Comment tu trouves ? » et il a répondu : « Étonnant, c'est étonnant. » Je ne sais pas trop s'il aimait !

Michel Berger était un être doux, profondément artiste. Je l'aimais vraiment. On n'avait pas peur du silence lui et moi, rien à se prouver. Ça me reposait, le temps passé avec Michel. C'était un immense mélodiste, un des plus grands que nous ayons eus. On est restés proches, toujours. J'ai eu très mal quand il est mort. Beaucoup de peine. Je vois France de temps en temps. Quand on rend hommage à Michel, je suis toujours là. Non, sans Michel, je n'aurais pas eu la même vie. Sur *Rock'n Roll Attitude*, l'album qu'il m'a composé, il y a « Le chanteur abandonné », je pense que cette chanson parlait de lui aussi. Il savait qu'être chanteur, c'était vivre l'abandon à chaque concert qui s'achève. Ne plus savoir quand on descend de scène à quel endroit est la vraie vie, et pourquoi la salle est vide à nouveau, pourquoi le silence l'emporte toujours en définitive.

Jean-Jacques Goldman, je ne le connaissais pas. La première à m'avoir parlé de lui, c'était Monique

Le Marcis, la fameuse dame de RTL. Elle me répétait sans cesse : « Il t'a écrit une chanson, c'est un tube, écoute-la. » C'était « Fais-moi un signe ». Je ne l'ai pas chantée. À l'époque, il voulait composer pour les autres, mais on ne voulait pas de ses chansons, alors il les a chantées lui-même, et il s'est avéré qu'en effet... c'étaient des tubes.

C'est Michel Berger qui m'a soufflé l'idée de travailler avec Jean-Jacques Goldman. Ils étaient très amis et admiratifs l'un de l'autre. C'était joli et rare dans nos métiers. On s'est beaucoup vus avec Jean-Jacques. Je lui parlais, il voulait me connaître, se glisser dans ma peau pour écrire des textes sur mesure. Je m'entends bien avec lui, il est plus rock'n roll que ne l'était Michel. Quel dommage qu'il n'écrive plus. Il dit qu'il n'est plus inspiré. La dernière chanson qu'il m'a offerte, c'est « J'la croise tous les matins », un beau blues. Goldman est un auteur-né. Quelqu'un qui fait sonner les mots et noue le sens de ce qu'il dit au bon moment sur la musique. Il sait créer l'émotion, la nostalgie. Sur l'album qu'il m'a écrit, il n'y a que des tubes : « J'oublierai ton nom », « Laura », « Je te promets » et « L'envie »...

On m'a trop donné bien avant l'envie
J'ai oublié les rêves et les mercis
Toutes ces choses qui avaient un prix
Qui font l'envie de vivre et le désir
Et le plaisir aussi...
Qu'on me donne l'envie
L'envie d'avoir envie, qu'on rallume ma vie[1] !

« L'envie » est une chanson qui a changé ma vie. C'est fou d'avoir su à ce point capter ce que je suis et ce que les gens ont vu de moi. Parce que la France m'a regardé grandir. Je suis le cousin de tout le monde. Et l'envie, c'est leur dire qu'on peut aimer pour toujours, être passionné par ce qu'on fait, si seulement quelqu'un nous offre le luxe de ne pas être blasé. Moi la star, celui qui fait la couverture des journaux depuis qu'il est en âge d'avoir un peu de barbe, je ne suis pas écœuré des choses et j'ai toujours cette putain d'envie de monter sur scène. Je leur demande aussi de me garder en vie, de me regarder toujours comme un être humain parmi les êtres humains. Ce que je suis, ce que je continue d'être, un homme qui crève de désirs et qui a soif de vivre.

Ça n'a pas toujours été le cas. Il y a eu des jours comme des grottes. La fin des années 1960, vu de loin, ça ressemble à la gloire, à la lumière, mais pour moi ça a été des années noires. En 1966, j'ai essayé de me tuer. Je n'aime pas parler de ça. Je me suis beaucoup battu contre la mort depuis, mais là… Je traversais une grosse dépression. Rien ne semblait plus prendre. Quand on est propulsé si vite sur le devant de la scène, le moindre passage à vide ressemble à la fin, à une chute. Ça ne marchait plus très fort, pour moi ça voulait dire que j'étais mort, alors autant l'être tout à fait.

Tout semblait s'arrêter, Sylvie venait d'accoucher et je ne savais pas comment faire pour devenir père, comme un mec perdu qui n'a jamais eu de modèle, comme le gosse que j'étais encore alors, je pensais à me séparer de Sylvie. Je voulais que mon cœur s'arrête aussi. J'avais tout fait trop jeune, une vie en accéléré. Sylvie et moi, on aurait pu s'aimer vraiment mais j'avais vingt-deux ans pour notre mariage, vingt-trois quand David est né. J'étais dix mois sur douze en tournée. Ça n'était pas une vie. Tout s'était passé à la fois trop vite et trop tôt.

Je devais chanter à la fête de l'Humanité ce jour-là. J'étais dans mon appartement en train de me préparer. Défoncé de fatigue et de drogues. Dans la pièce à côté il y avait mon avocat Gilles Dreyfus, Ticky Holgado, mon secrétaire de l'époque, et Gill Paquet, mon attaché de presse. J'ai refermé la porte derrière eux. J'avais le droit à un moment de solitude. Je me suis assis cinq minutes sur mon lit au lieu de me préparer, au lieu de suivre mon rythme de machine à chanter. Je ne me suis pas douché ni parfumé, je n'ai pas mis mon costume de scène. J'ai pris la bouteille d'eau de Cologne et j'en ai bu la moitié, je me suis ouvert les veines. Et j'ai attendu. Et j'ai commencé à oublier. Je pense que c'était bien.

Ticky a défoncé la porte parce que je ne répondais pas. Il a improvisé un garrot avec Gill. Direction Lariboisière. Afin qu'on ne me voie pas, ils sont passés par le garage accessible depuis mon immeuble, et ils m'ont mis dans le coffre de la voiture. Comme un cadavre. Il y avait trop de fans devant. Ils attendaient mon départ pour aller chanter à la pelouse de Reuilly. Vous imaginez ce que c'est, ces vies-là ? Les filles crient, espèrent un baiser, un regard, et vous, vous saignez comme une bête dans l'ombre du coffre d'une voiture. Ils voulaient éviter l'émeute. Gill Paquet a pensé que les journaux s'en empareraient de toute façon, donc il a préféré prendre les devants. J'ai dû me taper une séance photo sur mon lit d'hôpital. On a sorti « Noir c'est noir », ils se sont tous frotté les mains, et moi j'ai continué ma vie. Poussé derrière par un souffle qui me dépassait.

Quand David est arrivé, j'ai été submergé d'amour, mais je n'ai pas su quoi en faire. J'ai eu de la chance, dans mes délires, j'ai toujours su choisir de bonnes mères à mes enfants. David a grandi à l'abri. Sylvie a vite pris le chemin de Los Angeles, et pour les rejoindre, chaque fois, je pensais prendre des raccourcis, mais je me suis perdu.

Deux années après, la France était en feu. Les étudiants ont commencé à jeter des pavés dans l'ordre établi, le printemps 1968 bourgeonnait et venait marquer l'Histoire. On a beaucoup dit que les yé-yé étaient responsables de cette révolte des jeunes. Je ne sais pas dans quelle mesure. Peut-être qu'on leur a montré que les choses pouvaient changer ? Qu'une musique différente appelait un monde neuf ? C'était aussi une musique métissée, faite de mélanges, qui fonctionnait et qui portait donc en elle l'avenir de notre société cosmopolite. Je ne sais pas trop ce que j'ai ressenti à ce moment-là, j'étais l'emblème des jeunes, mais je n'avais ni leur vie ni leurs préoccupations. Bizarrement le symbole de la jeunesse était le moins jeune d'entre eux ! Je pensais que c'étaient les copains de « Salut les copains », tous ces auditeurs dont la ferveur avait basculé vers une politisation, une idée du bonheur, d'un monde nouveau, c'étaient eux qui se battaient devant la Sorbonne, et ça me touchait. Pourtant je me suis un peu exilé à Saint-Tropez. Qu'allais-je faire ? Me battre sur les barricades ? Je ne comprenais pas tout de ce qui se passait, et dans un sens ou un autre mon image avait trop de poids pour qu'on l'instrumentalise.

1969. Année érotique mais aussi celle de mes dix ans de carrière que je décide de fêter au Palais des Sports. Je viens d'enregistrer une des plus belles chansons de ma carrière, « Que je t'aime ». Alors que de nombreux chanteurs du paysage des yé-yé ont disparu après le printemps qui demandait de tout changer, après la contestation, j'arrive à continuer à exister grâce à ce tube de Jean Renard et Gilles Thibaut.

Quand tes cheveux s'étalent
Comme un soleil d'été
Et que ton oreiller
Ressemble aux champs de blé[2]...

Je mets au défi un Français de ne pas connaître le refrain qui suit...

En deux semaines, cent soixante mille personnes viennent m'applaudir au Palais des Sports. On y avait installé cinq scènes circulaires et, en première partie, des groupes déments comme Aphrodite's

Child se produisaient. Des écrans géants diffusaient des films gore. Des danseurs s'agitaient par centaines. Des cascadeurs descendaient du ciel. Bref, l'annonce de la démesure que j'exigerai toujours pour mes shows. Je veux qu'un de mes concerts soit une expérience unique, que les gens s'en souviennent comme ça. On ne dépense pas de l'argent pour aller voir un mec qui chante seul avec une guitare, quel que soit son talent, pour moi ce n'est pas ça, un spectacle.

Je venais de sortir l'album *Rivière... ouvre ton lit*, j'évoluais vers un rock psychédélique. J'étais influencé par le travail de mon pote Hendrix, du coup à la réalisation j'ai pris deux pointures : Jean-Pierre Azoulay et Jimmy Page. C'est la musique qui m'a toujours sauvé. Comme un pansement en chansons.

La mort ne veut pas de moi, même quand le destin m'envoie me fracasser contre un arbre à une vitesse de dingue. Je conduisais ma Lamborghini avec à son bord Jean-Marie Périer. On allait de Saint-Tropez à Hossegor. C'était une Miura, extrêmement légère et rapide. Oui, tout était fait pour que j'y reste.

1970 est là. C'est une décennie étrange qui s'ouvre. Quelques-unes de mes idoles sont mortes coup sur coup : Brian Jones, Jim Morrison, Janis Joplin et mon ami Jimi Hendrix. J'ai le souvenir de dix années qui ressemblent à une nuit sans fin. Moi aussi, j'ai touché à la drogue. Dans les parties à Londres, il y avait des bols de coke. C'était une chose normale. Un jour, je me suis réveillé, je me suis regardé dans la glace, j'étais gris. Je n'en ai plus touché. C'était il y a trente ans. Un soir, on a enregistré en prenant des substances, on se trouvait géniaux. Le lendemain, on a écouté les bandes, c'était à chier. Ça dessèche les cordes vocales. Ça n'a pas d'intérêt. C'est une histoire d'amour qui m'avait plongé dedans. Une histoire destructrice : Nanette Workman faisait les chœurs dans « Ma jolie Sarah ». Elle m'avait vu et elle avait décidé qu'elle m'aurait. C'était une tigresse. Elle avait un talent fou. C'est de ça que je suis tombé amoureux. J'étais attiré par la musicienne accomplie qu'elle était. Elle écrivait les arrangements de mes albums. Elle est devenue ma compagne pendant plus d'une année et demie. C'est elle qui m'a plongé dans la drogue. Quand une femme qu'on aime a de l'influence sur nous, qu'on veut parler la même langue qu'elle, partager sa vie, son talent, on partage aussi cette débauche qui semble rock'n roll au début.

Elle m'a fait beaucoup de mal. Nos petits déjeuners commençaient par une ligne de cocaïne. Je dormais une heure par nuit. En studio, j'étais comme un robot. Un jour, j'ai fui, j'ai sauvé ma peau. Je ne sais toujours pas comment, mais ma vie c'était de faire des choses pas de me détruire. Bien sûr, les moments sombres appellent plus de malheur dans cette pénombre. Ma tante Hélène meurt. C'est comme de perdre ma maman. Alors je fuis, je traverse la vallée de la Mort en moto, comme pour la planter derrière moi. J'avais une Kawasaki 900 et je suis parti trois semaines entre la Californie et la frontière mexicaine. J'ai toujours cru qu'en roulant vite on pouvait semer le chagrin loin derrière soi, et souvent ça a marché.

En rentrant, je me tourne vers des gens qui m'élèvent, qui m'ouvrent les yeux. C'est le grand Philippe Labro qui écrit les textes de mon nouvel album, *Vie*. On navigue entre plusieurs tendances, mais les paroles ne laissent pas indifférent : je parle d'écologie avec un texte de science-fiction bouleversant, sur la *Septième Symphonie* de Beethoven : « Poème sur la 7ᵉ », aujourd'hui plus que jamais d'actualité. Puis je choque avec Jésus-Christ. Le portrait hippie du fils de Dieu. Je parle aux parents de mes fans ados avec « Essayez ! ». Je suis très fier de la portée de cet album. C'est un disque intelligent. Philippe Labro est un passionné de la culture et de la littérature américaines, il me fait découvrir la *Beat Generation* : Burroughs, Allen Ginsberg, Neal Cassady, Jack Kerouac, et il rallume la lumière sur ma route…

Philippe savait qu'il choquerait avec « Jésus-Christ est un hippie ». L'ORTF et RTL censurent la chanson et, sur Europe 1, on s'en réjouit et on la diffuse sans arrêt.

Il doit fumer de la marijane
Avec un regard bleu qui plane
Jésus-Christ est un hippie[3].

Franchement, Labro avait anticipé le scandale et, moi, je voulais juste être dans l'air du temps, dans le Flower Power. Aujourd'hui quand on écoute certaines paroles de rap, je me dis qu'on a vraiment changé de mentalité. C'est tout de même très soft.

Novembre, le général de Gaulle meurt, c'est tout un symbole de notre pays qui s'en va avec lui. Nous étions tous ébranlés. C'est à peu près à ce moment-là que j'ai rencontré un de mes paroliers les plus importants au début des années 1970. Un matin, j'étais dans mon appartement de l'époque, dans le seizième, et j'attendais un mec pour réparer mes chiottes. On sonne, je vais ouvrir. J'ai indiqué les toilettes à Michel Mallory avant de comprendre que c'était un jeune parolier ! On devait adapter « Salvation » très rapidement et personne n'y arrivait. Ce jeune type avait essayé, et bingo ! « Sauvez-moi » marquera la fin de cette décennie sur la scène du Pavillon de Paris. C'est sur cette chanson que je me faisais transpercer par un laser. C'est avec Mallory que j'ai composé « Toute la musique que j'aime ». Il est arrivé avec un début et puis j'ai pris ma guitare et le reste est sorti, comme si on avait chacun une pièce du puzzle. J'ai aimé faire sortir cette chanson, on ne pouvait plus s'arrêter de la chanter. C'est un plaisir de composer mais pour ça il faudrait partir des mois, isolé, et je suis toujours sollicité. Il n'y a pas de journées d'oubli, d'ennui. J'en rêve pourtant. Trouver un moment où tu n'es pas envahi par la vie qui t'entoure, être seul. Je venais de faire un bide avec la tournée de « Circus ». Il en faut. Chaque carrière a ses creux. Pour moi qui suis comme un lion, c'est terrible. Je dois me surpasser. Je donne tout ce que j'ai pour qu'on m'aime à nouveau. Pour qu'on ne me laisse pas sur le sol, sans berceau… « Johnny Circus » portait bien son nom. C'était la tournée de la défonce. Quelque chose de sombre, je traînais mon mal-être de ville en ville avec une femme belle comme une déesse mais tapissée de démons. J'avais un chauffeur dans une Rolls blanche, à y réfléchir je m'en souviens comme une sorte de long cauchemar avec des rires qui sonnaient faux. Même à raconter, c'est irréel. Je pense qu'il vaut mieux m'en souvenir comme ça, et puis un jour la mort m'a réveillé, mais ce n'était pas encore la mienne. C'est à la fin de cette tournée que Desta m'a appelé pour m'annoncer le décès de ma tante, ma seconde mère. C'est elle qui m'avait élevé avec amour. Elle qui avait fait de moi le mec que j'étais. Je me suis tourné vers la vraie vie, vers Sylvie et David aux États-Unis. Je me sentais orphelin. Sylvie et moi parlions de notre fin inéluctable, moi qui avais chanté tous les soirs auprès d'une autre femme durant toute cette tournée. Mais j'avais du mal à y croire, ça restait ma famille et je l'aimais à ma façon.

Claude Lelouch me propose à ce moment-là *L'aventure, c'est l'aventure*, devenu culte depuis. Il voulait que j'interprète mon propre rôle.

Mon « personnage » devait se faire enlever par une bande de malfrats, des gangsters à la petite semaine interprétés par Ventura, Brel, Denner, Maccione et Charles Gérard. Ils se font passer pour des héros politiques. On a ouvert le festival de Cannes avec en 1972. J'étais heureux de passer du temps avec Jacques Brel, ce mec m'impressionnait, quel artiste, quel grand artiste ! Une plaie ouverte. Il ne dormait jamais, c'était un sacré fêtard. On était heureux sur ce tournage. C'est formidable de bosser avec Claude Lelouch, je l'ai rencontré alors qu'il réalisait mes Scopitone pour gagner du fric. Il a inventé un style. Claude laisse une part énorme à l'improvisation. Il a confiance dans les gens et les miracles du hasard. D'ailleurs je tourne un film de lui cette année, il m'a fait lire le scénario mais m'a demandé de ne rien préparer. Je vais le faire quand même, je suis très têtu. Je joue un reporter de guerre ; alors je me demande comment ils vivent, où ils dorment quand ils arrivent, comment ils font, est-ce que l'armée les protège ? Je jouerai avec mon pote Eddy, ça me réjouit. Bien sûr, pour qu'il se passe quelque chose entre deux hommes, il faut une femme, ce sera Sandrine Bonnaire. On s'en parle avec Eddy, on a hâte de se retrouver sur le plateau. C'est agréable de continuer à faire des choses ensemble avec de l'enthousiasme. On ne vieillit pas, nous. Juste un peu, quoi…

En 1973, l'année de la crise pétrolière où on ne trouvait plus d'essence nulle part, ça a l'air bête mais je me souviens super bien de ça ! Pour moi c'était la panique, imaginez-moi sans voiture ou, pire, sans moto ! Cette année, Sylvie et moi avons enfin accepté d'enregistrer le duo que le public espérait tellement. C'était la mode de parler des problèmes de cœur. Et c'était notre vérité du moment. D'ailleurs Sardou cartonnait avec « La maladie d'amour »… Moi, je ne voulais pas tout mélanger, mais Jean Renard, qui était le directeur artistique de Sylvie, a tellement insisté que j'ai fini par céder. Surtout, ça faisait un moment que la rumeur enflait sur notre couple et que tout le monde imaginait une séparation, alors on a enregistré « J'ai un problème ».

Les paroles sont sérieusement nunuches, mais ça a cartonné. Les Français aiment l'amour, on n'y peut rien.

Cette année-là Georges Pompidou est mort, je ne

cessais de me dire que tout foutait le camp, qu'un nouveau monde se mettait en place, un monde dans lequel il fallait m'inventer une nouvelle vie. Pourtant je n'y arrivais pas, retrouvé sans cesse par mes démons, par la drogue et l'alcool. Juste après ma séparation d'avec Sylvie, je me suis mis à ne faire que des conneries. Je me disais que je rattrapais ma jeunesse à grandes enjambées, en fait je versais de l'alcool sur mes plaies béantes. Oui, que de belles conneries de rock star, pas des virées de gamin. Je me souviens d'un truc dingue... Un soir, je suis invité à dîner par Monique Le Marcis au King Club. Une sorte de mini Castel, restau en haut, musique en bas. Des escaliers très étroits. Monique, c'est une femme très importante dans ma vie et dans ce métier. C'est elle qui a découvert tous les plus grands talents comme Alain Barrière et Delpech, puis elle a soutenu une jeune génération de chanteurs. Julien Clerc, Le Forestier lui doivent beaucoup. Ça a même été une des premières à soutenir Bruel. Elle a traversé les époques, entendu les nouvelles tendances. Cette femme a des oreilles en or et une poigne de fer. Pendant des mois, RTL a été la seule radio à diffuser Mike Brant. Monique a même écrit une lettre de démission parce que la radio refusait de programmer Balavoine. Philippe Labro disait de Monique qu'elle avait une âme de midinette. C'était vrai en partie, c'était surtout une grande professionnelle. C'est donc avec cette jolie petite bonne femme que j'allais dîner, je savais que je sortirais en sachant les titres de tous les tubes des mois à venir.

Je voyais pas mal Gérard Depardieu à cette période de ma vie. C'est toujours un ami d'ailleurs, mais ce mec est fou. C'est le seul type plus épuisant que moi. Il m'appelle avant et il me dit qu'il vient dîner avec nous. J'habitais avenue Foch. C'était une période super. Une parenthèse de ma vie en rires et nuits. Je vivais au deuxième étage et souvent je rentrais avec le jour, quand les putes rentraient du travail. J'avais sympathisé avec beaucoup d'entre elles qui m'avaient reconnu et se faisaient une joie de m'offrir les croissants au petit matin. Elles m'émouvaient, ces femmes. Depardieu vient avant pour qu'on aille ensemble à la boîte et il insiste pour qu'on trouve la drogue à la mode chez les rockers : du *brown sugar*. C'était son obsession du moment. Je téléphone à un mec que je connaissais qui bossait pour les frères Zemmour et je me fais livrer. Gérard est en fête, je le retiens de ne pas en prendre dans la voiture, mais à peine arrivés au King Club, il nous traîne dans les toilettes et en sniffe 2 grammes. Moi aussi, du coup... solidarité oblige. On remonte, l'air de rien. Monique portait une jolie robe à fleurs, je me souviens, je me suis mis à scotcher dessus. Je voyais les fleurs danser, j'étais à deux doigts de les cueillir et de respirer leur parfum. Monique, elle avait commandé un pot-au-feu. C'était la spécialité de la maison. Je comprends pas pourquoi, on était en plein été, ou alors j'avais super chaud. Ce qui est sûr, c'est que le pot-au-feu était hors sujet. Je me souviens de la tête hilare de Gérard derrière cette soupière géante. On mange, c'est brûlant, on essaie d'avoir une conversation et puis, soudain, Depardieu s'effondre la tête la première dans la soupière. La robe de Monique est foutue, la pauvre femme est

ébouillantée. Je rassure tout le monde en m'écriant :
« C'est du *brown sugar*, c'est pas un infarctus »,
comme si c'était super rassurant...

J'appelle Loulou, un toubib que je connaissais
chez qui on dépose Gérard. Il lui fait une piqûre.
Je remonte pour nettoyer la pauvre Monique et finir
mon pot-au-feu, et puis c'est moi qui tombe. Le lendemain, Gérard se réveille en sursaut et me réveille
aussi. Je lui explique qu'on est chez Loulou, que
c'est le *brown sugar*. Il rit avec son rire de bon
géant et il me demande aussi sec : « Il t'en reste ? »
C'est ça, Gérard, la surenchère. L'escalade amusée
du désespoir.

Je suis très différent de Gérard. Je suis un vrai
Gémeaux, un être double. De fait, déjà, je suis Jean-
Philippe Smet et Johnny Hallyday. Je suis aussi
quelqu'un qui peut dire de gros mensonges. J'adore
les bobards et j'aime faire peur aux gens. J'adore
pousser dans les retranchements, moi compris, et
savoir jusqu'où je peux me faire mal. Mais quand
Johnny va trop loin, Jean-Philippe le rattrape par
le col. Grâce à lui, je suis toujours debout. Gérard
est une plaie ouverte, tout entier tourné vers l'au-
todestruction. Comme c'est un enfant avec un cœur
énorme, souvent des gens se sont entichés de lui et
l'ont sauvé par périodes, mais lui ne s'aime jamais.

En 1976, je fais le Palais des Sports. Mon pianiste
a du génie, c'est un certain Michel Polnareff. Michel
est un ami en or, je l'aime beaucoup. Je pense que
les escrocs qui l'ont dépouillé et obligé à embarquer
vers les États-Unis ont flingué sa vie au-delà des

histoires de fric. Michel est le plus grand mélodiste qui soit. Son départ aux États-Unis, imprégnés d'une autre musique, lui a fait perdre l'inspiration. Il a voulu faire comme eux et a oublié qu'il était au-dessus de tout le monde. On ne perd pas ce qu'on a pour toujours, c'est au fond de lui et ça va revenir. On ne peut pas écrire « Les enfants du paradis » et puis plus rien, je n'y crois pas... Et puis quelle intelligence, son look, ses lunettes, sa fausse provoc. Polnareff connaît forcément cette fameuse phrase du show business : « Qui a tubé tubera. » C'est tout ce que je lui souhaite.

Des tubes, j'en ai trois gros cette année-là et ils me suivent sur toutes mes scènes jusqu'à aujourd'hui : « Gabrielle », « Derrière l'amour » et « Requiem pour un fou ». C'était la première fois que je travaillais avec Jacques Rouveyrollis aux lumières, et nous avions mis au point une « Hallyday Story » où je racontais en chansons mon parcours au public.

C'est une année avec des hauts et des bas puisque c'est aussi celle de l'échec de la comédie musicale *Hamlet* adaptée de la pièce de William Shakespeare. Je rêvais d'une grosse comédie musicale à l'américaine pour réunir mes passions de chanteur et d'acteur. J'y avais mis tout mon cœur, mais ça n'a pas fonctionné. Trop tôt, ou pas assez bon... ? Il n'y a pas de grand destin sans gros échec. Oui, les années 1970 sont étranges, mais artistiquement, je pense que j'ai pris mon pied, et que j'ai laissé des traces.

En 1977, Sylvie et moi avons fait la couverture de *Paris Match* et je pensais sincèrement que notre couple allait reprendre de la force. Comme toujours, j'ai chanté une chanson qui reflétait mon état d'âme du moment : « J'ai oublié de vivre », signée Pierre Billon et Jacques Revaux... J'avais envie d'une nouvelle existence, d'apaisement. Mais quand les choses sont abîmées avec quelqu'un, quand on a fait du mal, qu'on a grandi différemment, évolué vers d'autres sphères, comment les réparer ? Mon album suivant s'intitule *Solitude à deux*. Tout est dit... Barbelivien y signe une chanson pour laquelle j'ai de la tendresse : « Elle m'oublie ».

En 1979, je fêtais déjà mes vingt ans de carrière et je n'avais toujours pas une ride. Je suis un vieux jeune chanteur ou l'inverse ? Aux abattoirs de Pantin je donne un show très robotisé. La série de concerts s'intitule « L'ange aux yeux de laser », j'avais un costume digne d'un film de science-fiction. David m'avait balancé : « On dirait Goldorak ! » C'est d'ailleurs ce jour-là qu'il est venu jouer de la batterie sur scène avec moi...

Superbe expérience quelques mois après quand j'ai offert un concert d'une heure sur le porte-avions *Foch* à la demande d'Yves Mourousi pour les marins. Tout va bien, sauf mon cœur, il va falloir que j'admette que je dois divorcer, ça tiendra encore une année. Je n'aime pas les échecs. Le premier divorce c'est toujours compliqué, après on s'y fait.

C'est à cette période qu'avec Michel Sardou on a décidé de descendre les rapides du Colorado ensemble. C'était notre aventure entre potes. On avait un guide qui s'appelait Alan et on accostait nos radeaux chaque soir sur la berge après des heures de descente, c'était assez physique. Des paysages à couper le souffle. Sardou, c'est un mec assez trouillard. Il avait une phobie en particulier : les serpents. C'est vrai que là-bas, c'est pas les plus tendres. Michel avait lu un truc je ne sais plus où et avait donc trouvé une technique imparable selon lui. Tous les soirs, autour de son sac de couchage, il s'encerclait de canettes, de bouteilles de bière et de conserves. Assez pour que le moindre serpent ou animal qui passe tape dedans et que le bruit le réveille afin qu'il ait le temps d'aviser, ou de prendre la fuite surtout. Chaque soir, il répétait son rituel. Avec Alan, dès que Michel s'endormait, on balançait des cailloux sur ses bouteilles et on faisait mine de dormir.

« Vous avez entendu, là ? Johnny, t'as entendu ? »

On ne répondait même pas, on se marrait en silence. Sardou ne fermait pas l'œil de la nuit. Dès que je me réveillais pour pisser, je balançais un caillou.

À la fin du parcours, on a pris un hélico pour Vegas. Sardou trouvait qu'il avait gonflé avec la bière, la bouffe et le manque de sommeil, donc il décide de prendre un laxatif pour se refaire une beauté… On arrive dans l'hôtel dans notre immense suite avec nos chambres et un salon. On aurait dit un appartement géant. Raquel Welch m'appelle dans la chambre. On avait un début d'histoire virtuel et il paraissait évident que ça allait commencer enfin ce soir-là. Je dansais de joie dans la grande suite. Elle nous avait invités à son spectacle. On n'avait rien pris de classe Michel et moi, donc on descend dans le hall pour s'acheter des costards. En effet, il avait bien grossi. Ça ne nous empêche pas d'aller boire quelques verres au bar, en oubliant les laxatifs de Sardou.

Et là, ils se sont rappelés à son bon souvenir. Il est devenu vert et il a couru aux chiottes. Je me suis inquiété, ensuite j'ai ri. Quand j'ai réalisé l'heure qu'il était, le show était presque fini. Raquel Welch ne m'a plus jamais parlé à cause des intestins de Sardou. C'est une époque où Michel était marrant. On faisait un tas de conneries. J'en ai subi aussi.

L'année d'après, pour le nouvel an, on a annoncé ma mort partout. C'est parti d'un mec qui a appelé une radio, et puis assez vite une dépêche AFP a relayé l'information. J'étais à Los Angeles avec David et Sylvie pour les fêtes. J'ai écrit un démenti dans *Paris Match* : « J'ai le goût du canular autant qu'un autre et aussi, je crois, le sens de l'humour. J'ai lu sur moi au cours de ces vingt ans les bobards les plus ahurissants, les plus monstrueux. L'expérience m'a appris qu'ils faisaient partie intégrante de mon métier d'homme public. Je ne dirais pas que j'en suis enchanté mais admettons que je le supporte. En revanche, je ne tolère pas que ma famille soit atteinte à travers ces inepties. »

En regardant les yeux de David ce jour-là, j'ai vu le mal que ça lui faisait. J'étais pourtant bien là, je n'étais pas mort. Mais l'effervescence dans laquelle ça mettait le pays, la joie morbide, c'était glaçant. C'était un gros scoop avant d'être un chagrin. Je pense qu'on subit tous l'image qu'on véhicule, un jour elle se mêle si intimement à notre vérité qu'on ne peut plus les séparer. Je pense que ça a été le cas pour Sardou, à force de passer pour un vieux con réac, il l'est devenu.

Il aimait faire la fête. Et puis, c'est bizarre, c'est comme s'il avait changé de caractère. Je dis tout ça pour une raison bien précise. On s'est fâchés il y a quelques années parce qu'il a fait une vanne sur scène. Il a dit en parlant de Jade : « Johnny avec sa Viêt-cong », et je ne lui ai plus dit bonjour. Un jour, il est venu pour me dire que c'était de l'humour. J'ai toujours pas compris ce qu'il trouvait de drôle à ça. De toute façon, il a toujours été jaloux de moi, toujours voulu faire la même chose que moi. Encore maintenant... Deux semaines après que j'ai quitté le producteur Jean-Claude Camus pour aller chez Gilbert Coullier, il a fait la même chose. Doit-on lui donner le numéro d'un psy ?

Personnellement j'en ai jamais vu, j'ai l'impression d'être capable d'avoir du recul sur moi-même, de pouvoir faire ma propre analyse. Je pense que c'est nécessaire pour les gens qui ne savent pas se regarder de loin. J'ai la sensation que je peux. C'est peut-être une connerie. En même temps, il faut un grain de folie, un gros grain même pour faire mon métier. De la folie et des plaies. C'est vrai pour toutes les stars. Le talent ne suffit pas, il faut vouloir tout bouffer.

Mon fils David, par exemple, est un grand artiste. Il a du talent. Mais le problème de David, c'est ceux qu'il n'a pas eus. Il a été heureux. Moi j'avais envie, j'avais faim. On ne peut pas être élevé dans le confort et avoir la rage au ventre. Les grands chanteurs, c'est comme les boxeurs. Soit tu gagnes le match, soit tu crèves. Il y a eu quelques exemples différents comme Frank Alamo, mais les grandes réussites ce sont des gens qui avaient soif de vaincre. Elvis était très pauvre. Je ne crois pas aux fils à papa qui réussissent. Il faut en avoir bavé. Il faut comprendre les gens. Alors David ne sait pas vraiment quoi faire de son talent. Je pense que sa réussite n'est pas à la hauteur de ce qu'il a entre les doigts. C'est un grand compositeur et un excellent chanteur. Et puis aujourd'hui dans la musique, tout est plus dur. L'album *Sang pour sang* qu'il m'a composé est d'un niveau remarquable. J'étais tellement fier de chanter des chansons de lui, j'y ai mis tout mon cœur. Quand je vois David, je vois ma jeunesse. Je vois sa mère.

Les joies et les drames. Sylvie a eu deux graves accidents de voiture. Le premier en 1968. Le 11 avril. Sa meilleure amie est morte ce jour-là. Elle avait une Osi jaune dont elle était dingue, elle filait sur la route et un camion l'a percutée. David n'avait même pas deux ans. Et le sort s'est acharné. Cette fois, c'est moi qui conduisais sur une route d'Alsace. J'ai dérapé sur une plaque de verglas. Son joli visage s'est fracassé contre la vitre. Son nez était cassé. Il a fallu faire de la chirurgie esthétique à New York, Mount Sinai Hospital. Je me souviens de son retour à la maison à bord du *France*. David avait cinq ans. Mon fils et moi, nous nous sommes vus grandir. Sa maman c'était mon premier grand amour. Bien sûr, il y a eu beaucoup d'autres femmes mais très peu ont compté. Comme tous les hommes j'ai désiré des femmes que je n'ai pas eues. On m'a prêté des liaisons imaginaires, avec la Bégum par exemple.

Il faut dire que j'ai rencontré les plus belles du monde et que mes potes étaient les mecs les plus séduisants qui soient. J'ai assisté à la rencontre entre Serge Gainsbourg et Jane Birkin. Mon Dieu, Jane était si courtisée ! Au milieu du parterre des prétendants, c'est Serge qu'elle a choisi. Et je la comprends. L'intelligence, le talent, la gentillesse de Gainsbourg étaient tels qu'on ne pouvait lui résister. Dommage, il ne composait que pour les femmes. C'était la période de *La Piscine*, il y avait Romy aussi. Romy Schneider est la plus belle femme que j'aie rencontrée dans ma vie. Mais Delon était là le premier. J'avais de l'affection pour Romy. Sa carrière a été fabuleuse mais rien n'a été simple. Tout s'est fait dans le désespoir, l'alcool, les doutes. Dieu, ce que cette femme a enduré ! Delon était très jaloux. Romy était sa propriété. Les rapports qu'Alain entretenait avec les femmes ont fait que les nôtres étaient moins forts. C'était une compétition pour lui. Pour Delon, tout est un concours. Drôle de mec, Alain Delon. Tous les deux, on était les protégés de Guérini, le parrain de la mafia marseillaise. Delon a toujours rêvé d'être un voyou, c'est pour ça qu'il endossait leurs rôles. Mais c'est juste un acteur et un type bien. Il est incapable de faire du mal à une mouche. Je ne sais pas pourquoi ce monde l'attire autant. Il a rencontré et épousé Nathalie parce qu'elle était avec Markovic. Sa vie est obscure. Delon, lui, c'est une vraie star. Quand on rentrait tous les deux dans une salle, ça en jetait. Il est venu au Stade de France me chanter « Joyeux anniversaire » sur scène pour mes soixante-neuf ans, ça m'a fait quelque chose.

On a partagé des choses Alain et moi, il y a des fils invisibles entre nous. Romy, ça a été la blessure de sa vie. Sa mort m'a secoué. Romy m'avait tellement ému.

Une année bien triste. Je divorçais de Babeth Étienne après une année de mariage. Même pas. Je l'avais rencontrée dans une boîte de nuit. Coup de foudre. Qui était cette belle brune avec un regard de chat ? C'était à l'Élysée-Matignon, et je l'ai carrément « volée » à son mec de l'époque, un peu mafieux. On est partis en week-end. Et j'ai découvert une femme rare. C'était une fille incroyable, c'est vrai, mais moi faut me tenir, me supporter, je ne sais pas. C'était une trop gentille fille dans le corps d'une femme fatale. Une fille en or, sincère. La femme la plus classe du monde dans la séparation. Élisabeth Étienne. J'ai aimé Babeth. J'enterrais une histoire d'amour de plus et la femme de la vie d'Alain dans de la vraie terre. L'enterrement de Romy, quelle blessure. La vie avance parfois avec trop de secousses. C'est exactement à la période de sa mort que j'ai fait la connaissance de celle qui allait devenir la mère de ma première fille.

J'ai rencontré Nathalie Baye en 1982 sur le plateau d'une émission de télévision des Carpentier. C'était génial, il n'y a pas d'équivalents aujourd'hui. Maritie et Gilbert Carpentier réunissaient des artistes de tous horizons afin de faire des sketches originaux ou de chanter des chansons. Et Philippe Labro m'avait écrit un sketch policier dans une ambiance années 1950. On me propose de le faire avec Nathalie Baye, une jeune actrice montante qui venait de tourner dans *Le Retour de Martin Guerre*. Le jour du tournage, j'arrive en retard, je m'excuse, je la sens agacée. On fait une lecture et ça se passe bien, puis on reste chacun de notre côté. J'étais toujours très entouré d'une bande d'amis. On tourne à la télévision et, là, elle me plaît beaucoup. Chacun repart dans sa loge et elle vient me dire gentiment au revoir. Elle me dit exactement : « Je suis contente de vous avoir connu », ce à quoi je réplique : « Qu'est-ce que vous faites ce soir ? » Elle ne répond pas… Alors j'ose : « Je vous invite à dîner. »

Nathalie a accepté, en pleine rupture avec Philippe Léotard. C'était compliqué. Je suis clairement tombé amoureux d'elle. Léotard m'appelait en me disant : « C'est pas grave, je t'aime bien… mais c'est dur de se faire jeter comme ça. »

Je me souviens que j'étais venu la chercher en limousine pour l'impressionner et que la voiture était trop grande pour sa rue, elle ne passait pas ! C'était ridicule et puis pas vraiment son genre. On en avait ri.

C'était l'époque de l'Élysée-Mat', très m'as-tu-vu. Bébel se suspendait aux lustres comme Tarzan, des lustres vénitiens qui valaient une fortune ! Il pétait tout ! Le patron devenait fou. Je n'avais pas l'habitude de draguer des filles comme Nathalie, elle était à part. C'était une intello, avec que des copains qui avaient voté Mitterrand, mettaient des foulards et des pantalons en velours et allaient au festival d'Avignon.

Je ne sais plus si Nathalie était déjà dans ma vie quand j'ai donné mon spectacle « Le survivant » au Palais des Sports inspiré de mon coup de cœur cinématographique du moment : *Mad Max*, le film de George Miller avec Mel Gibson. Le spectacle suivait mon album *La Peur* qu'avait réalisé le fidèle Pierre Billon, ça sonnait bien, j'adore les cuivres sur cet album.

L'année suivante, Nathalie a cartonné et reçu un césar pour *La Balance*. Pendant toute la cérémonie, elle se sentait bizarre, elle pensait que c'était l'émotion. En fait, elle était enceinte de Laura. La célébrité lui est tombée dessus violemment, entre notre mariage et son césar, elle n'était pas prête à ça. On se complétait, on se faisait découvrir des mondes qui étaient étrangers l'un pour l'autre. Nathalie est une femme discrète, une vraie comédienne amoureuse de son métier. J'étais trop turbulent pour elle. Ce qui est drôle, c'est que ce sont nos différences qui nous ont attirés et qui finiront par avoir raison de notre couple.

Pendant le tournage de *Notre histoire* avec Delon, Nathalie m'a dit : « Je déjeune avec Jean-Luc Godard, viens avec moi. » Je l'admirais beaucoup et elle le savait. Nathalie me faisait entrer dans un autre monde. Des gens qui d'habitude ne me regardaient pas. Je me suis dit que ça allait changer. Mais non. Godard ne m'a pas calculé du repas. Il a passé son temps à expliquer son rôle à Nathalie, il lui parlait sans cesse. Moi, pas un mot. J'étais un peu gêné, un peu en colère. Il est parti sans me dire au revoir.

Quelques semaines après, le téléphone sonne : Godard. Je lui dis : « Nathalie n'est pas là. » Il me répond : « C'est avec vous que je veux parler. Je voudrais qu'on déjeune. Je veux vous offrir un rôle dans mon prochain film. »

Je raccroche, étonné. Le rendez-vous est pris chez Prunier en quelques mots.

J'arrive à ce fameux déjeuner. Godard est gai comme une porte de prison. On se serre la main. Pas un mot. Il commande une sole sèche. Sans beurre. Sans légumes.

Rien. Je suis tellement flippé que je commande pareil.

Il me parle toujours pas.

Au milieu de la sole, il murmure : « C'est pas mauvais. »

J'approuve.

J'ose pas trop le regarder avec ses grosses lunettes. Je sais que si je parle je vais dire une connerie.

À la fin du déjeuner, on a aligné six mots chacun.

Il me lance : « Bon alors, on commence dans deux semaines. »

Le film s'appelle *Détective*, je l'apprends par mon agent. Il ne m'explique rien. On n'a pas de script. La veille, Godard écrit ce qu'on joue le lendemain. C'est comme ça. Parfois, tu as ton texte une demi-heure avant de tourner. Il y a un maquilleur et un coiffeur, mais il interdit formellement aux acteurs d'être coiffés ou maquillés. D'ailleurs, parfois Godard n'éclairait pas non plus. Il gueulait sur Bruno Nuytten, le chef opérateur, parce qu'il y avait trop de lumière. Je me souviens que, les quinze premiers jours, on n'a pas tourné. Je m'inquiétais parce que je devais faire le Zénith un mois plus tard. Chaque jour, on venait à onze heures et Godard disait : « Il fait un temps de merde, personne n'a envie de tourner, on reviendra demain. »

On a finalement fait le film en quinze jours. J'étais gêné parce qu'il venait toujours me faire écouter les prises et il me disait : « Tu entends comme moi... » Puis il se tournait vers Claude Brasseur : « Tu vois, lui il est juste ! Toi, t'es à chier. Regarde Johnny, lui c'est un vrai pro. »

J'osais plus regarder Brasseur.

Godard choisissait quelqu'un comme ça et le persécutait. Quelqu'un de faible. Qui en souffrait.

Plus tard, quand Jean-Luc Godard a reçu un césar d'honneur, il a demandé que ce soit moi qui lui remette son prix. Il pouvait être très désagréable mais, moi, il m'avait à la bonne. On se comprenait sans rien se dire. Deux animaux qui communiquaient autrement qu'avec les mots. J'étais passé le voir chez lui à Lausanne quand j'ai chanté à Genève. Il ne voulait pas venir me voir sur scène, il disait qu'il y avait trop de lumière. Il mixait le film chez lui à Lausanne, j'ai eu le droit de venir voir quinze minutes de film alors que le producteur n'avait rien à dire, rien le droit de regarder. Un personnage, Godard. Mon film préféré de lui, c'est celui avec Piccoli et Bardot... C'est quoi, déjà ? *Le Mépris*. Oui, ça c'est un film. Et un corps, non ? « Tu les aimes, mes fesses ? Et mes chevilles ? »

J'ai enchaîné les films en cette année 1985, j'ai tourné *Conseil de famille* avec Costa-Gavras que j'ai adoré voir au travail. L'histoire était adaptée d'un roman de Francis Ryck, c'était une comédie sur trois casseurs de coffres-forts, Guy Marchand, Fanny Ardant et moi. Et puis un jour notre grand frère tombe amoureux et tout est chamboulé. Gavras n'est pas fait pour les comédies, c'est dommage, ce n'est pas son meilleur film. Juste après ça j'ai tourné *Terminus* de Pierre-William Glenn, j'étais très excité par l'aventure, j'avais teint mes cheveux en blanc coupés très court, et je m'étais entraîné pour ne pas être doublé dans les cascades. Ça a été un gros bide et c'est dommage, on est passés à côté de notre sujet.

De ces années avec Nathalie je retiens cette envie de mettre un pied dans un autre monde culturel, on se fascine et on s'effraie mutuellement, mais le mélange est rarement heureux. De nos deux univers nous avons fait un être à part, l'incarnation du monde dans sa dualité. Quand Laura est née, j'étais très ému d'avoir une fille. Et puis, elle me ressemble vraiment physiquement. Petite, c'était un ange. Elle était si tendre et toujours inquiète de savoir si je l'aimais vraiment. C'est étonnant, moi qui l'aime tant. Pourtant j'ai toujours été présent même après notre séparation avec sa mère ; mais c'était une obsession : savoir si je l'aimais « pour de vrai ». À l'adolescence, Laura voulait tellement me plaire qu'elle s'est mis en tête d'être comme moi. Comme moi, ça voulait dire rock'n roll. Laura a commencé à toucher des choses qui n'étaient pas pour elle, qui n'avaient rien à voir ni avec son caractère ni avec son éducation. Elle n'était pas prête pour ça, elle n'avait pas de désespoir à combler. Ça a été le cercle vicieux inverse... C'est la dépendance qui a inventé un désespoir à Laura. Nathalie est une mère formidable. Elle a été dépassée par les addictions de notre fille. Elle a toujours fait ce qu'il fallait quand il le fallait, mais il y a des forces si noires qu'on ne peut rien contre elles. Et puis Laura a fait de mauvaises rencontres. La notoriété de ses parents, sa beauté, sa fragilité attirent les vautours qui ont soif de reconnaissance. Laeticia s'est occupée de Laura comme d'une petite sœur. Elle a été présente et patiente. Laura a fait quelques mensonges qui ont beaucoup ébranlé la famille, mais elle a fini par rétablir la vérité. Souvent, elle nous a montés les uns contre les autres mais quand, enfin, elle a été confrontée à notre demande commune de rétablir les choses, nous avons pu nous en sortir et l'aider aussi. Je pense qu'elle mentait à cause d'un mal-être. Je suis très reconnaissant à ma femme d'avoir supporté ces disputes montées artificiellement par Laura alors que ce n'était pas son enfant. C'était une preuve de grande bonté et d'intelligence de sa part. Après ça, Laeticia et Nathalie sont devenues amies. Leur lien a été cette envie commune de la sauver. Je pense que Laura doit tourner, travailler, c'est ce qui va la guider vers la lumière, la sortie du tunnel. C'est juste une mauvaise route, pas sa destinée. Elle va retrouver son chemin. C'est dur pour moi qui ai fait toutes les conneries, et ne peux pas le cacher, de donner des conseils. Je ne suis pas crédible, et puis je ne suis pas très à l'aise pour interdire.

Laura est une actrice à part. Je l'ai vue dans *Insoupçonnable*. Elle a le même talent que sa mère. C'est drôle pour moi de la voir jouer. Je sais que c'est ce qui la sauvera, ce qui est déjà en train de la sauver, le jeu, son talent. Je ne sais pas comment lui dire que je l'aime.

Quand je me suis séparé de Nathalie, ça s'est fait sans heurt, on s'apprécie toujours beaucoup... Nos chemins n'allaient plus au même endroit, simplement. Je suis parti m'installer chez Christian Blondieu. Je sortais avec Léa, une très gentille fille, très belle. Mais c'était dur. Je renouais avec mes démons. J'avais des insomnies. Je descendais dans le salon de Christian regarder des films en pleine nuit. Adeline me rejoignait. Je l'avais vue naître et je lui avais répété toute sa jeunesse, la voyant si jolie, comme une blague pour la flatter : « Toi, quand tu seras grande, je t'épouserai... » La petite fille était devenue une jeune femme charmante, et elle en avait conscience. Il ne me venait pas à l'esprit que quoi que ce soit puisse arriver.

Avec mon entraîneur Hervé Lewis, mon ami Pierre Billon, le photographe Tony Frank et Adeline, nous sommes partis faire le voyage de mes rêves. J'avais deux mois de liberté, ça ne m'était pas arrivé depuis des années. Je rêvais de découvrir l'intérieur des États-Unis, son vrai visage. Alors, on a roulé en moto dans l'Ouest américain. On a traversé le pays d'est en ouest. On dormait chez l'habitant, on improvisait. On a rencontré de vrais Indiens. L'itinéraire allait de La Nouvelle-Orléans à Los Angeles. On est passé à

Daytona Beach en Floride, le plus grand rassemblement de Harley de la planète. J'ai dû confondre mon enthousiasme pour ce voyage avec ce que je ressentais pour Adeline. Je l'ai donc épousée en revenant. C'était à Ramatuelle, en grande pompe. La fête était sur le thème « Autant en emporte le vent ». J'aurais dû me méfier d'une union qui commence sous ces auspices. Un vrai film noir.

Au début, je prêtais beaucoup d'importance à ce que la presse ou les gens pouvaient dire de moi. Les moments de disgrâce me blessaient beaucoup. Aujourd'hui, j'en ai plus rien à foutre. Vraiment rien. Si j'avais si peu d'importance, on ne parlerait pas de moi. On finit par prendre l'habitude. En France, la réussite c'est louche. On trouve toujours ça dégueulasse. Pourquoi lui et pas moi ? C'est ça, la mentalité.

On a souvent dit que je m'étais barré pour ne pas payer d'impôts. C'est en partie vrai mais c'est aussi parce que c'est épuisant, cette ambiance. Je me suis toujours demandé pourquoi aux États-Unis quand t'as une belle voiture les mecs sourient et te disent formidable et en France on te traite de voleur. Sale mentalité. Pour un pays dont j'ai porté les couleurs, qui a bien voulu faire de moi son emblème quand c'était nécessaire, je me suis senti trahi, accusé à tort, sali. Souvent mes fans sont plus blessés que moi par ce qu'on peut bien dire.

J'ai moi-même demandé quelques autographes dans la vie et, pour savoir ce qu'on ressent à ce moment-là, je n'en ai jamais refusé un. Il faut beaucoup de courage pour oser s'approcher de quelqu'un et se dire qu'il nous fera peut-être l'affront de son refus méprisant. Quand j'étais jeune, Ingrid Bergman a joué une pièce au Théâtre de Paris, rue Blanche. Je l'ai attendue à la sortie dans le froid et puis, quand elle est enfin sortie, je n'ai pas osé.

Ça m'est arrivé aussi avec Elia Kazan. Je suis un cinéphile qui place Kazan au-dessus de tout dans le panthéon des réalisateurs. Pierre-William Glenn, le réalisateur de *Terminus*, qui était aussi le beau-frère du talentueux Claude Miller d'ailleurs, connaissait ce culte que je vouais à Kazan. Un jour, il m'a emmené à une conférence que donnait mon idole à la Cinémathèque. J'avais un livre de lui dans ma poche, *Kazan par Kazan*, et j'avais prévu de lui demander une dédicace. Quand Pierre-William Glenn me l'a présenté à la fin, je tenais fort mon livre dans ma poche et je n'ai jamais osé le sortir.

Quelques semaines après, sur le plateau d'une émission de Michel Drucker, j'ai eu la surprise de voir Kazan débarquer et me signer un livre en direct. Michel avait eu vent de l'histoire et m'a offert ce moment magique. Alors bien sûr, je comprends ce qu'on ressent devant un homme qu'on admire. J'ai un rapport complexe avec mes fans. Je sais ce que je leur dois. Ils sont une partie de ma famille de cœur. Mais certains de mes fans me mettent mal à l'aise. C'est trop. Même pour les idoles de ma jeunesse dont j'affichais les posters dans ma chambre, je n'aurais jamais fait ce qu'ils font pour moi.

J'ai eu de la chance, j'ai croisé et partagé des moments de vie avec la plupart de mes idoles. J'ai rarement été déçu. J'ai ri parfois. Un jour, pour le gala de l'Unicef au Trocadéro, on me dit : « Johnny, tourne-toi que je te présente Marlon Brando » et là, demi-tour : personne. J'ai dû baisser la tête, le mec devait faire un mètre soixante. Pas très sérieux pour un cow-boy ! Ce même soir, j'ai rencontré Liz Taylor et Richard Burton. À la fin du spectacle, nous sommes tous allés dans la loge de Burton. Il y avait une table pleine de bouteilles de whisky et de vodka. Burton nous a fait entrer et il a dit : « Personne ne sort tant que les bouteilles sont pleines ! » On est sortis en chantant un peu faux...

J'espère ne pas décevoir mes fans.

Pour la plupart, je suis attaché à eux. On s'est vus vieillir. Ceux qui me font vraiment flipper, c'est les sosies. Ça ferait peur à tout le monde. À Vegas, les premiers rangs de Presley étaient pleins de sosies avec son costume de scène carrément. Vous êtes transformé en une poupée de supermarché. Vous ne savez pas ce que c'est que des cris qui portent votre nom. Vous devenez une divinité, une révolution, un homme à aimer, et vite un homme à abattre. À un moment, les médias ont décidé que ma timidité c'était de la connerie et ça a été leur nouveau fonds de commerce. Tiens, être l'abruti de service, ça fait marrer. Pour moi, ça a été dur parce que ça m'a inhibé encore plus. Je suis chanteur, pas homme politique. Je ne prétends rien, je n'assène rien, je ne fais que chanter. Et puis je suis complexé, je n'ai pas fait d'études... Je sais bien que je ne suis pas un imbécile, mais je sais aussi que je peux facilement le faire croire, parce que je fais des gaffes, que je bafouille, et depuis un certain temps parce que je m'en fous. Je ne suis pas là pour plaire aux gens qui ont pour seul but de traquer le mot qui les aidera à se foutre de ma gueule.

« Les Guignols » se sont calmés, mais il y a une période où c'était dur pour Laura. Elle n'avait pas le recul nécessaire pour laisser les gens se moquer ainsi de son père. Elle était à l'âge où on doit s'éloigner soi-même de son père et on l'obligeait à le faire en des termes violents. Elle se sentait traître ou prisonnière, selon les positions qu'elle prenait. Laurent Gerra, c'est différent, il me caricature plus par sympathie que par moquerie. Je le sens et ça me fait marrer. Parfois ils sont pris à leur propre piège. Comme « Les Guignols » à l'époque de « la boîte à coucou » qui se moquaient de Jacques Chirac et de ses pommes, ils ont réussi à le rendre follement sympathique en voulant en faire un abruti. Ah, que ça me fait bien plaisir !

Il y a cette tradition de la presse satirique à gauche chez nous, elle est de parti pris. Je n'aime pas la médiocrité. Je pense que la gauche pousse vers ça. Je ne suis pas pour que les gens pauvres le soient. C'est malheureux, il faut les aider. Mais pas en leur faisant l'aumône. Il y aura toujours des gens plus riches que d'autres, certains en meilleure santé, des plus laids, c'est injuste mais c'est comme ça. Et le talent, comment on fait pour partager le talent ?

Je n'aime pas les sociétés d'assistés. On voit bien que la politique a ses limites. Je ne parle pas des exclus, des chiens sans collier. Je sais ce que c'est d'avoir faim, de se sentir rejeté. J'ai beaucoup chanté sur ça. En 1971, j'ai composé une musique sur laquelle Labro m'a écrit un texte génial, « L'autre moitié », où je demande aux mecs riches d'aller de l'autre côté du périphérique, vers les banlieues, pour voir les clandestins qui crèvent la dalle. Dans « Ton fils », Goldman m'a fait parler des immigrés aussi. Je n'aime pas qu'on me fasse passer pour un type sans cœur sous prétexte que j'ai une sensibilité de droite. Je pense juste qu'il ne faut pas leur faire l'aumône, il faut leur donner la chance d'avoir la même vie que les autres, un boulot, de l'espoir. J'ai peur quand je vois la montée de la pauvreté. Quand mon grand pote Coluche a monté les Restos, on pensait que ce serait juste pour une ou deux années, le temps que les choses « aillent mieux ». Tu parles ! C'est Michel Mallory qui m'avait présenté Coluche, ils étaient amis d'enfance. C'est l'histoire d'un mec… le plus mal dans sa peau et le plus généreux qui soit. J'ai fait les quatre premiers concerts des « Enfoirés ». C'était bien. C'était juste des chanteurs. Maintenant c'est la kermesse. C'est formidable parce que c'est pour une bonne cause mais je peux vous dire que c'est pas l'esprit de départ. C'est aussi devenu une émission de promotion. Et puis tout le monde veut y être, je ne me sens plus utile. J'aime les causes pour lesquelles il faut se battre. J'aime le panache. J'aime rencontrer des gens qui souffrent et les aider. J'ai chanté en Suisse au pénitencier de Bochuz en 1974. Quand on balance « Le pénitencier » devant ces mecs, ce qu'on chante prend tout son sens.

Les portes du pénitencier,
bientôt vont se refermer,
et c'est là que je finirai ma vie,
comme d'autres gars l'ont finie[4]...

J'ai eu de la chance, je le sais. Oui, j'ai bossé, mais j'aurais pu finir comme ces types, désespéré, la rage au ventre. J'ai juste trouvé un truc intelligent pour exprimer cette colère. C'est tout.

J'ai de l'admiration pour les gens qui se frottent à ça au quotidien, les assistantes sociales, les éducateurs, les juges, les policiers. J'ai adoré jouer le commissaire David Lansky. C'était un peu ce que j'aurais voulu être si j'avais été flic. Un flic biker sur une Kawasaki 1500 Sumo avec un perfecto, des santiags ; une paire de Ray-Ban sur le nez. C'était assez novateur parce que « mon » équipe était mixte. J'avais des coéquipiers d'origine vietnamienne, arabe, et il y avait un Black. C'était vivant. Un vrai signe pour les jeunes, leur dire qu'ils existaient quelle que soit leur couleur de peau et qu'ils avaient le droit de s'identifier à des personnages positifs. Lansky vivait seul dans un appart vide. Il avait juste un billard. J'aime bien ce genre de personnage, un peu double. C'était une série de quatre épisodes pour la télévision. Je n'avais pas très envie d'y aller, mais c'est mon pote le producteur Christian Fechner qui m'avait décidé. C'est en me parlant d'une sorte de bande dessinée à l'écran qu'il a vu mes yeux s'éclairer ! C'est un très bon souvenir.

En mars 1995, j'étais à Miami pour retrouver une fille que je n'ai jamais vue en définitive. On s'est disputés avant par téléphone. Je traînais des pieds. Pas une super période… C'est toujours dans ces moments-là, quand l'horizon est gris sombre, qu'on s'attend à tout sauf au bonheur, qu'il fait irruption dans votre vie. Jean-Roch m'appelle la veille de mon départ et m'invite à dîner. Il vient me chercher à l'hôtel avec une certaine Laeticia Boudou accompagnée de son père et de sa fiancée. Là, c'est un coup de foudre. Je me souviens que j'ai formulé clairement dans ma tête : « Je ferais bien ma vie avec cette fille. » C'était aussi évident et instinctif que ça. Ils étaient venus me chercher en Bentley. Et puis pendant le dîner, je regardais ses mains. Elle a des mains extraordinaires, féminines, fines, ses mains me racontaient la vie que je voulais avoir, la façon dont je voulais être caressé. À ses doigts je voulais enfiler des bagues, à ses poignets attacher des bracelets.

On a parlé toute la nuit. Malgré notre différence d'âge, il y avait comme un lien entre nos vies. Notre façon de nous battre contre nos démons. Laeticia était maigre, elle ne s'aimait pas. Elle m'a raconté son combat contre l'anorexie. Je voulais mettre des bandelettes tout autour d'elle pour qu'elle ne souffre jamais. J'aurais voulu qu'elle se voie avec mes yeux, les siens étaient toujours baignés d'un début de larmes. J'étais hypnotisé par ses bouclettes, son sourire, sa frimousse à la Shirley Temple. Et la bonté qui se dégageait d'elle. C'est une femme profondément gentille, entière, il n'existe pas une once d'égoïsme en elle. J'aurais voulu que cette soirée ne s'arrête jamais. Le crooner niais complètement *in love* ! Le lendemain, j'ai décalé mon retour et je lui ai fait croire que je voulais acheter une maison en Floride pour traîner. Elle m'a accompagné aux visites fictives. Je me voyais bien choisir une chambre, un salon, une cuisine, tout un monde avec elle. On « jouait » déjà à être un couple, c'était comme une répétition de la vie qui nous attendait. Je voyais à ses yeux qu'elle l'avait compris aussi. Comme des enfants, on jouait au prince et à la princesse pour se dire les choses sans les exprimer. Parce que c'était ridicule, parce que c'était trop tôt, parce qu'on avait peur de ce qu'on ressentait.

Le lendemain, je suis rentré à Paris. Je pensais à elle, tout le temps. Elle ne lâchait pas ma tête. Son visage, la douceur de sa voix, de son être. Ce n'était pas encore l'époque des portables, des sms, on s'envoyait des fax. Au bout d'un mois, je l'ai invitée à venir une semaine à Paris. Je ne l'ai plus jamais laissée partir. Je l'aime profondément. Oui, j'ai aimé avant, mais chaque histoire était une histoire avec des hauts, des bas, un début et une fin. Je visualisais la ligne d'arrivée même si je m'élançais avec joie et insouciance. Avec Laeticia c'est différent, je n'imagine pas ma vie sans elle. Nous sommes liés. Elle est ma famille. Je ne vis pas avec quelqu'un, pas à côté, nous sommes un tout. Elle fait des choses pour moi qu'aucune femme n'a jamais fait.

C'est tellement injuste ce qu'on a pu dire sur elle. Elle est tout sauf la description minable qu'on en a fait dans ces journaux qui salissent, qui médisent, qui prédisent, qui vendent en supposant l'âme des gens. Oui, elle est belle, oui, elle est bien habillée ! C'est une jeune femme ! Qu'attendez-vous d'elle ? C'est aussi une femme dévouée, intelligente, aimante, qui s'est investie pour l'Unicef, pour des causes. Qui vit pour les autres, en partie pour moi et nos enfants mais aussi pour le monde autour. Laeticia ne pense qu'à faire du bien. Tout ça vient surtout des proches qui m'ont trahi, et comme ils n'osaient rien dire sur moi, c'est sur elle qu'ils se sont déchaînés. Je ne suis pas jaloux depuis que je suis avec Laeticia. Avec les autres femmes, les quinze premiers jours étaient une décharge d'adrénaline forte et je savais ensuite que l'amour déclinerait des deux côtés. Et puis je laissais faire, je ne connaissais pas d'autre formule. Laeticia, c'est différent. Je lui fais totalement confiance. Les autres, je m'en suis toujours méfié.

Avoir une femme belle et jeune, ça maintient en vie. Dans ma tête j'ai toujours vingt ans, c'est quand je me croise dans une glace que je me dis : « Tiens… j'ai vieilli. » À l'intérieur, rien n'a changé. Ni le désir ni la peur.

Nous nous sommes mariés un an après notre rencontre. Nicolas Sarkozy était le maire de Neuilly à l'époque. Il a officié dans la salle des mariages et son discours était génial. Il est très drôle et fin. Nicolas est un ami. C'est un type bien. Un homme que j'aime en dehors de son appartenance politique. Il aurait été socialiste, ça aurait été mon pote aussi. Je pense qu'il a été un excellent président. En tout cas, il est un excellent ami. Fidèle et attentionné.

Ce mariage, je l'ai un peu dérobé à Laeticia en voulant lui faire un cadeau unique. Quelques mois avant, je m'étais fait opérer d'une hernie discale et, avec sa dévotion habituelle, Laeticia est venue s'installer sur un petit lit de camp dans ma chambre pendant toute ma semaine d'hospitalisation. Un jour, son père m'a rendu visite et j'ai demandé à Laeticia de nous laisser un peu entre hommes. Je lisais l'inquiétude sur son visage et c'était adorable, elle ne pouvait pas imaginer que je m'apprêtais à demander sa main à son père.

Puis nous sommes allés quelques jours à Saint-Tropez afin que je me repose et, là, Laeticia est revenue furieuse avec un journal entre les mains qui annonçait notre mariage. Je ne sais qui dans mon entourage proche avait balancé tous les détails à la presse. Ce qui devait être la plus belle surprise de sa vie avait été souillé. Alors dans ma colère, les doutes, les cris et les questions, je lui ai dit la seule chose dont j'étais sûr : « Je t'aime, je veux t'épouser. »

Je me suis rendu compte que je lui avais volé ce moment, parce que j'avais même choisi sa robe de mariée, pas une robe blanche classique mais un tailleur bleu qu'avait dessiné Jean-Claude Jitrois, et puis j'avais oublié d'inviter des gens qu'elle aimait, même sa meilleure copine ! Mais j'ai voulu bien faire. Je voulais la combler et qu'elle devienne ma femme sans tarder. Elle est celle que j'ai toujours espérée. Un jour, on renouvellera peut-être nos vœux. L'essentiel, c'est ce mariage qui dure, qui nous a rendus plus forts l'un et l'autre.

Cette même année 1996, un peu avant le mariage, nous avions organisé les concerts de Vegas. Je rêvais de chanter dans la ville du King… J'ai très mal vécu la concrétisation de ce qui devait être un rêve. Tout était fait pour que ce soit un événement. Nous avions affrété des avions pour les fans, chacun portait un nom de chanson. Camus est venu me voir avec une gueule d'enterrement la veille du départ, un mec avait mélangé tous les dossiers, tous les billets, on parle de milliers de voyageurs. Bref, j'ai pas géré ça, mais je sais que ça commençait déjà par un beau bordel. Logistiquement c'était dingue. On s'en foutait de gagner de l'argent, on voulait juste réussir ce pari fou. Après, il paraît que l'ambiance à bord de chaque avion était dingue, les gens chantaient à tue-tête, beaucoup ont dépensé toutes leurs économies pour venir. Devant cette pression, je me suis mis à flipper et une angine blanche avec une fièvre de cheval se sont emparées de moi. Alors que les fans ont débarqué heureux, que certains se mariaient dans les chapelles avoisinantes, moi je me faisais faire des piqûres dans la gorge pour tenir debout. Je chantais dans la salle de l'Aladin, je pense que c'était le plus vieux casino de Vegas, depuis ils l'ont détruit. Il n'y avait que des musiciens que j'adorais avec moi, Phil Soussan, Robin Le Mesurier, Tim

Moore, Ian Kewlay, Shane Fontayne, Christophe Dupreux, Jimmy Roberts et Ian Wallace. Comme nous n'avions pas mis les moyens pour faire un beau spectacle, ni lumière, ni effet, le show était raté. On se disait que le show était pur et rock'n roll, mais en réalité, il était pauvre. Les trois quarts des chansons étaient les inédites de mon nouvel album à la demande de la maison de disques. Il y avait une diffusion de TF1 en direct, donc l'ampleur du concert dépassait celle de la salle. C'était une opération de promo pour ma maison de disques, alors que pour moi c'était juste un rêve intime. Et puis on enregistrait une partie des titres en *live*, l'équipe de Chris Kimsey était là pour que le disque existe à la fin du show, mais on s'est plantés. C'était très frustrant pour les fans. Ce n'était pas le spectacle que je voulais faire. Je me suis tourné vers ce qui me restait, Laeticia, et j'ai fini le spectacle en lui dédiant « Que je t'aime ». Je suis sorti de là rincé, triste, exsangue.

C'est la première fois qu'une femme savait me parler et m'apaiser après une déception, j'ai attendu longtemps de rencontrer cette personne. Dieu sait que j'ai eu un grand nombre d'aventures et c'était agréable mais jusqu'à un certain point. L'enchaînement des histoires d'un soir peut vite basculer dans le sordide. On connaît tout, les gestes, la déception, l'espoir, les mots qu'il faut dire et ceux qu'on ne doit jamais prononcer. Enfin, il me suffisait d'un être pour me sentir en famille. Je me suis dit qu'il fallait en créer une vraie. Laeticia et moi nous avons essayé d'avoir un enfant pendant dix ans.

Il y a eu des épisodes douloureux. Laeticia a fait de nombreuses fausses couches. C'est une femme profondément maternelle, elle était faite pour ça. Laeticia a besoin de donner de l'amour au quotidien, de voir des êtres grandir. C'est une vraie maman, mais son ventre ne répondait pas. Alors Laeticia a cherché et donné ailleurs l'amour qui l'étouffait. Elle a installé son arrière-grand-mère dans notre maison de Marnes-la-Coquette et s'occupait d'elle avec le plus grand soin. Et puis une deuxième pensionnaire est arrivée… Un jour, le mari de ma mère est venu avec elle et l'a littéralement laissée là, pour une semaine, disait-il. En fait, il était malade et il est parti mourir loin de ma mère pour qu'elle ne souffre pas. Moi qui n'avais pas été élevé avec elle, qui n'avais jamais prononcé le mot maman, je me suis retrouvé à l'avoir à la maison tous les jours alors que j'avais cinquante-cinq ans. C'était assez pesant, ces deux vieilles dames. Elles étaient charmantes, mais la maison était quasi médicalisée et ma femme devenue une bonne sœur dévouée. J'avais envie d'un tête-à-tête. La dévotion de Laeticia est une chose que je ne connaissais pas. C'est désarmant. Elle a fait installer un monte-charge, elle demandait comment faire à l'infirmière. Elle les nourrissait, les habillait, les distrayait. Parfois je m'énervais. Mais avec du recul, je la remercie. J'ai pu connaître ma mère et régler des choses à l'intérieur de moi avant de lui dire au revoir. Je ne prononçais même pas son prénom au début. Pour lui parler, je faisais un bruit, une onomatopée, ou je commençais une phrase directement : « Dis-moi… » et puis un jour, sans savoir pourquoi, j'ai prononcé : « Dis-moi, maman », et c'était comme dire je t'aime pour la première fois. Ça m'a piqué dans le cœur. Elle est partie alors que nous étions en paix l'un avec l'autre.

Quand la maison s'est vidée à nouveau, j'ai compris que Laeticia avait besoin de donner, qu'elle vivait à travers ça. On a commencé très sérieusement les démarches pour adopter ; on a vu des psys, des médecins, des assistantes sociales. C'est un parcours du combattant qui a duré trois années. Quand on a fini par avoir l'agrément, Laeticia est tombée enceinte. C'était compliqué parce qu'on était heureux mais notre agrément tombait, lui, à l'eau. Laeticia a perdu le bébé au bout de quatre mois. Elle a traversé une phase de désespoir. C'était une double peine. Jamais je ne l'ai vue dans cet état, elle qui est si forte ; tous ses rêves s'effondraient. Puis on a fini par avoir le droit d'espérer à nouveau. Un jour, on nous a dit que ça y était, un bébé nous attendait à Hanoï. La photo de Jade est arrivée par la poste. C'est madame Hang, la directrice de l'orphelinat, qui nous l'avait envoyée. C'est moi qui ai ouvert l'enveloppe. J'avais le cœur battant. C'était une drôle de cigogne, un moment terrorisant et excitant. J'ai appelé Laeticia, elle m'a dit d'abord qu'elle ne voulait pas la voir, que c'était trop d'émotion, qu'elle voulait la découvrir pour de vrai. Ensuite, elle m'a demandé si elle était belle. Je la trouvais si jolie, si jolie. Puis elle m'a demandé si tout allait bien, si elle n'avait pas de problème de santé. Elle était inquiète pour elle, elle était déjà sa maman. Elle est rentrée à la maison et elle n'a pas pu résister, elle a vécu quelques semaines les yeux rivés sur la photo de Jade. Elle dormait avec. Nous sommes partis peu de temps après pour un mois au Vietnam. À l'orphelinat d'Hanoï, les enfants dorment par terre sur des paillasses. C'est le bruit, les cris, la vie qui attend qu'on l'accueille. Jade avait trois mois, on approche d'elle. On la voit, on est bouleversés. Je la prends dans mes bras et c'est comme si elle me sentait, comme si elle me reconnaissait. Jade me fixe avec ce regard sage qu'elle a encore. Quand Laeticia l'a prise contre elle, elle s'est endormie tout de suite, protégée.

Le soir, nous devions la laisser, il a fallu plus d'un mois avant de pouvoir la ramener chez nous. Alors on s'occupait comme on pouvait, on marchait, on visitait la baie de Ha Long, mais notre cœur était coincé à l'orphelinat avec Jade. C'est un pays qui m'a marqué, comme mon second pays. J'ai aimé les odeurs, le bruit, les gens. Je me suis senti chez moi là-bas. Quand nous sommes rentrés, Jade est devenue le centre de la vie de Laeticia. Elle ne voulait pas prendre de nounou, pas la moindre aide, elle voulait être mère à plein temps, ce qu'elle a fait à la perfection. Mais c'est toujours dur dans un couple l'arrivée d'un enfant parce qu'on change tous de place. J'ai un lien très fort avec Jade, inexplicable. On est reliés par un fil invisible. En grandissant, Jade voulait une sœur et Laeticia ne rêvait que de ça, de remplir la maison de rires, de cuisiner pour tout le monde comme elle le fait à merveille. On a dû refaire toutes les démarches pour adopter à nouveau. C'est pendant le tournage de *Vengeance* de Johnnie To à Hong Kong que Laeticia m'a dit : « C'est bon, on peut aller la chercher à Noël. » J'avais quatre jours de libre pour aller les rejoindre à Hanoï. On

99

a ramené la petite Joy et nous avons fêté le nouvel an tous les quatre à Hong Kong. Avec ces trois bouts de femmes, j'ai eu ce sentiment fort que nous étions une famille. Jade a été jalouse, comme tous les petits enfants quand arrive un nouveau bébé, elle avait besoin d'être rassurée sur notre amour. Peu à peu, elle s'est mise à protéger sa sœur. Joy est frappante de beauté depuis qu'elle est bébé. Elle a des lèvres sublimes, une espièglerie charmante. Elles sont toutes les deux très différentes de caractère, pourtant elles sont Lion toutes les deux. Joy est née le 27 juillet et Jade le 3 août. Joy est une casse-cou désordonnée qui n'a pas froid aux yeux, parle aux gens, les défie. Une sacrée nana ! Ses poupées sont en morceaux, désarticulées. Jade, elle, range tout, aligne les choses, fait des collections. Elle est dans la réserve, l'observation. Elles me fascinent toutes les deux devant l'ordinateur avec l'instinct des enfants de cette génération. Un vrai choc des cultures. Pour moi ça a été une nouvelle expérience de paternité.

Je n'avais pas le même âge que pour David et Laura, ni la même disponibilité. Quand mon fils est né, j'avais vingt-deux ans. Avec David, on a presque un rapport de petit frère et de grand frère. Comme il a beaucoup vécu à Los Angeles, je le voyais peu. Aujourd'hui, je le regrette. Il ne m'a même pas dit quand il a enregistré son premier album. C'est quelqu'un qui me l'a envoyé. C'est un être très pudique, très orgueilleux aussi. Je l'admire. Pour ses cinq ans, je lui avais offert une batterie. Avant ça, il tapait spontanément partout avec des grosses cuillères sur des casseroles. Il était possédé par le rythme. C'est un autodidacte, il a le rythme dans la peau. David est un excellent batteur. Il a joué sur scène avec moi en 1976 au Pavillon de Paris, il était tout jeune mais déjà avec un son génial. C'était une surprise, je faisais mon concert et j'attaque sur les rocks, je chante « Sweet Little Sixteen » de Chuck Berry et je me dis : « Tiens, le batteur ne sonne pas comme d'habitude… » Je me retourne et, là, David… Il était si petit qu'on ne le voyait pas derrière la batterie ! C'était vachement bien. Aujourd'hui j'adore mes petites-filles, si belles et si souriantes. C'est avec Cameron aussi, son fils, que j'ai un lien spécial. Il me serre dans ses bras quand il me voit, il est super beau, super costaud, ça m'émeut aux larmes. Je ne sais pas ce qui se passe avec ce gosse, c'est comme s'il voyait à travers moi.

Après l'échec de Vegas, Laeticia et moi avons décidé de ne pas choisir de pays pour poser nos bagages, de voyager, de chercher où nous voulions aller et ce que nous voulions devenir. Nous avons embarqué sur un bateau que j'ai baptisé *Only you* en hommage à la chanson des Platters et pour dire à Laeticia qu'elle était désormais mon rocher dans les tempêtes. D'ailleurs, la traversée a commencé dans la houle, nous avons été malades une semaine mais on a tenu bon et le soleil est revenu. Mer d'huile. Temps pour s'ennuyer. J'avais oublié ce sentiment. J'ai pris du temps pour moi, mon couple et aussi pour savoir ce que j'allais faire après. Avec qui collaborer sur le prochain album ? Quel défi relever ? Ma vie fonctionne quand je vois au loin des obstacles à franchir et que je les surmonte. Un jour, nous avons jeté l'ancre à New York. Pascal Nègre venait de prendre la direction d'Universal. Je devais refaire un album. Il m'a rejoint là-bas et m'a proposé d'écouter les chansons de son nouveau protégé : Pascal Obispo. J'avais trouvé ça plutôt très bien. Pascal était malade comme un chien sur le bateau. Il vomissait tout le temps. Quand il est parti, je lui ai annoncé que j'allais être le premier chanteur à inaugurer le Stade de France et qu'il me fallait une chanson faite pour ça avec un gros refrain que des milliers de gens pourraient reprendre en chœur. En descendant de l'avion, il m'a appelé pour me dire qu'il avait trouvé la musique et que Zazie aller vite se mettre à l'écriture du texte. C'est comme ça qu'est né « Allumer le feu ! ». Le Stade de France se profilait. Ça me réveillait la nuit, je cherchais des idées pour en faire un moment unique. Ce genre de défi prend toute la place dans ma vie, je vis pour ça. J'avais deux ans pour sortir un album, monter une tournée et faire de mes concerts au Stade de France des événements uniques.

Le scénario du film *Jean-Philippe* m'a bien fait rire à ce moment-là, et j'ai accepté de le tourner. L'idée de départ était assez géniale. Fabrice Luchini jouait un de mes fans qui se réveille un matin dans un monde dans lequel Johnny Hallyday n'existe pas. Toute sa vie s'effondre et il vient me voir, moi Jean-Philippe Smet, chanteur raté qui a tout abandonné, pour me donner la place que j'ai aujourd'hui. Il a tous mes tubes en tête alors que personne ne les a jamais entendus, il connaît mon look, tout.

C'est plein de bonnes questions, ce film. Quelle est

la part de chance dans une carrière ? Est-ce qu'on a un destin de toute façon ? Et si j'avais eu un accident de Vespa comme dans le film et que j'avais raté mon premier passage à la radio ?

Moi, je pense qu'une carrière, c'est beaucoup de sueur. Il faut être sûr d'être bon parce que personne ne le sera à ta place et il faut vouloir bouffer le monde. Mon tempérament, c'est d'être le premier. Peu importe ce que je fais. Je vois quand je fais une course automobile, par exemple. Ça aussi, c'est une de mes passions. Si je n'avais pas été chanteur, j'aurais été pilote. Quand j'étais plus jeune, j'ai fait de nombreuses courses de côte. Le Mont-Dore, je me souviens. Un jour, le père de Laeticia m'a dit qu'on avait l'opportunité de faire le rallye du Maroc à bord d'une Mercedes. Je n'ai pas hésité. Ça m'a plu. J'ai continué. J'aime la sensation de vitesse et de dépassement de soi. Les rallyes, c'est de l'endurance, c'est aussi une course qui se joue dans le mental. J'ai fait le rallye de Tunisie, et enfin, en 2002, je me suis lancé sur le Paris-Dakar avec une Nissan et j'ai quand même franchi la ligne en quarante-deuxième position. Mon copilote c'était René Metge, le beau-frère de Coluche, il a remporté trois Dakar et il a fait celui-là avec moi pour me faire plaisir. À la fin de la course j'ai mis ma combinaison rouge en vente aux enchères et j'ai offert ce que ça a rapporté aux Restos du cœur. C'était notre petit clin d'œil à monsieur Colucci qui devait se marrer là-haut à nous regarder dans les dunes.

Mon fils fait ça aussi, il est très bon, ça doit être dans nos gènes.

J'aime le sport, j'ai toujours admiré les sportifs. Je m'entraîne beaucoup physiquement avant une tournée. C'est impératif. Il faut être en forme pour assurer des tournées comme les miennes. Sur scène je perds des litres d'eau et puis je ne peux pas faire de passe à mon équipier, c'est une course en solo !

Je ne suis pas un grand fan de football mais le jour de la victoire des Bleus, quand nous avons été champions du monde grâce à eux, j'ai vibré avec tout le monde. Nous étions dans le stade Laeticia et moi et, entre deux actions, je me disais : « Dans quelques jours, ce sera moi. » J'exulte, je crie avec les gens, et un et deux et trois-zéro, je me sens faire partie d'un tout. C'est ça, ce sentiment que je voudrais offrir moi aussi. S'unir, le temps d'une chanson, d'un concert, ne plus être seuls. Les 4, 5 et 6 septembre j'investirais ce lieu. Six mois avant, j'ai donné une interview à mon ami Daniel Rondeau pour *Le Monde*. Je ne me suis rien épargné, ma relation à la cocaïne, aux femmes, à l'argent. J'ai l'impression de me présenter nu devant les Français. Ça ne semble pas les rebuter, le Stade se remplit, je sais qu'il sera bourré à craquer. Le premier single de l'album « Ce que je sais » plaît énormément, les cieux semblent être cléments. Je ne pense plus qu'à monter sur cette scène qui ressemble à un temple béni des dieux, auréolé par les cris de victoire de notre équipe nationale, du pays tout entier... Je voudrais d'ailleurs tomber du ciel et c'est un hélicoptère qui me posera pour mon entrée. Plus de deux cent mille spectateurs sont attendus sur trois soirs. Depuis six mois je répète à Los Angeles, ma vie entière est tournée vers ces trois soirs. Presque quatre cents choristes ; un orchestre symphonique. On n'a pas fait les choses à moitié. Et surtout une sono avec un déluge de watts… Et la pluie qui tombe, qui tombe, qui tombe.

Je ne la vois pas s'arrêter.

Non seulement les instruments de l'orchestre symphonique qui sont faits de bois ne sont absolument pas conçus pour supporter un tel déluge, mais surtout il y a un risque d'électrocution pour tous sur la scène.

Je voulais aller moi-même annoncer ça aux fans, mais Jean-Claude Camus qui était aussi désespéré que moi m'a expliqué que ça pourrait créer l'émeute si on me voyait un instant pour annoncer ça et partir… les rock stars n'annulent pas leurs propres concerts au micro. Il y est allé lui-même courageusement et on a entendu le fameux « C'est la mort dans l'âme ». On a reprogrammé une date pour les pauvres spectateurs le 11 septembre. La soirée qui suivit fut grise et silencieuse. Je n'aime pas que le ciel me tienne en échec.

Je pense que le concert du lendemain est un des plus beaux que j'aie donnés de toute ma vie. J'avais une telle rage au ventre, une énergie qui s'est transformée en soleil et qui a contaminé tous les spectateurs du stade. Tous les duos étaient magiques, avec Florent Pagny, Pascal Obispo, Lara Fabian, Lionel Richie, Jean-Jacques Goldman et Patrick Bruel.

Je pense qu'il y a eu un déclic après ces trois concerts. C'est comme si j'avais été sacré. Comme si les Français m'avaient accepté une fois pour toutes dans leur famille. Là, dans ce lieu magique où la France avait été faite championne du monde, voilà qu'on me donnait ce que j'ai attendu longtemps et qui ressemble à de l'amour. Après ça, j'ai enregistré l'album de mon fils David et jamais je n'en avais vendu autant. Plus de deux millions d'exemplaires. J'ai eu le sentiment d'un apaisement. Tout allait bien dans ma vie. Ma femme que j'aimais, mes deux petites filles qui me ravissaient.

Je me suis d'ailleurs dit que je voulais rendre ça aux gens et, toujours inspiré par cette ferveur qu'avait offerte la victoire des Bleus, j'ai imaginé un concert gratuit sur les Champs-Elysées. Pour des questions d'acoustique et de sécurité ça a été jugé impossible, mais c'est de cette idée qu'est né le grand concert sous la tour Eiffel.

C'était pour fêter mes quarante années de carrière. Un grand concert gratuit, une vraie fête, en juin 2000, à l'initiative de la Mairie de Paris. Il y avait plus de cinq cent mille spectateurs et huit millions de gens qui regardaient en direct sur TF1. Comme une grande messe, on a chanté tous ensemble. J'ai vraiment eu cette sensation géniale. On a réitéré, neuf années après, le 14 juillet, sur le Champ-de-Mars pour le « Tour 66 » qui devait être le dernier de ma carrière et a bien failli tenir sa promesse prématurément. Il y avait sept cent mille personnes cette fois-ci et je leur ai joué l'intégralité de mon concert.

Ma rupture avec Universal a été très douloureuse. Comme avec une personne physique. C'était ma maison de disques mère, la seule chose qui ne bougeait pas. En fait j'ai fait une connerie, j'ai demandé une avance financière alors que je ne l'avais jamais fait. Certes, j'avais des à-valoir sur chaque disque mais jamais dans ces proportions, j'aurais mieux fait d'aller voir un prêteur sur gages ! Cet argent, c'était pour me payer une année sabbatique en bateau. Je pense qu'ils pouvaient m'aider à lever le pied, on ne peut pas dire que je sois un mec paresseux ! Le deal c'était qu'ils prenaient ma maison de Saint-Tropez, La Lorada, en caution. C'était plus que ma maison, c'était un symbole dans ma vie, un album portait même son nom qu'elle doit à mes deux premiers enfants.

Pour moi, Saint-Tropez, c'est mon village. La première fois que j'ai découvert ce qui était encore un charmant port de pêche, j'avais seize ans et demi. C'est Sacha Distel qui m'a emmené là-bas avec lui car sa fiancée de l'époque, une certaine Brigitte Bardot, y avait une maison. On est devenus assez copains avec Brigitte mais étrangement on ne se voyait qu'à Saint-Tropez. Dès que l'un de nous arrivait, on allait dîner chez les uns et les autres. Il y avait une vraie bande sympa. Brigitte est insomniaque et, comme je ne suis pas un couche-tôt, elle m'appelait parfois et me disait : « Johnny, je m'ennuie, viens à La Madrague me chanter des chansons. » Alors, je prenais ma guitare et j'y allais. Elle adorait les soirées qui finissaient en bœuf où on chantait tous et on tapait dans les mains.

Saint-Tropez, c'est aussi Jo de Salernes pour moi. Un de mes pères de cœur. Quand j'étais tout jeunot, Jo avait un restau à la mode à Saint-Tropez, mais ce mec sympathisait avec tout le monde et, comme il avait le cœur sur la main, il ne faisait jamais payer personne. On lui tapait dans le dos, et il oubliait l'addition. Naturellement, il a fait faillite. C'était une figure de Saint-Tropez. On l'appelait Jo de Salernes parce qu'il est né là-bas. Il portait toujours une casquette. Il avait une bonne tête sympa. Il s'est mis à faire des petits boulots à droite et à gauche, il rendait des services à la plage Tahiti. Il surveillait ma maison pour moi et réglait les détails du quotidien. Dès que j'arrivais, il préparait une énorme soupe au pistou pour les amis et moi. Un jour, il m'a offert une surprise : il m'a fait construire une piste de pétanque. Au bout, il y avait un dessin en carrelage : une fille à poil. Quand on perdait, on devait lui embrasser le cul ! C'était une tradition…

Quand Jo est mort, j'ai senti un grand vide. Il a été emporté par un cancer foudroyant. Je tournais *L'Homme du train*. J'ai quitté le tournage pour aller l'enterrer. Jo faisait partie de la famille. Je l'associe à jamais à Saint-Tropez, et cette maison c'était lui.

En gros, je pouvais vivre là-bas mais La Lorada ne m'appartenait plus tant que je ne remboursais pas ma dette. Mais le montant une fois remboursé, les choses ne se sont pas révélées si simples. Je me suis fait avoir et je me suis senti humilié. J'étais chez eux depuis quarante-quatre ans et ils possèdent donc tout mon catalogue. Dès que je chante un tube de mon passé sur scène, ils touchent de l'argent. Quand on est artiste, travailler dans le climat qui était devenu le nôtre était ingérable. C'était une lutte fratricide, j'ai préféré la paix en quittant cette maison de disques. Les procès m'ont donné raison, j'étais enchaîné à eux comme à un prêteur sur gages abusif.

Je me fiche de l'argent, pour moi il sert à vivre, je ne le garde pas dans des grands coffres. Je prête souvent, je donne à des amis dans le besoin. Je ne m'attends pas à ce qu'on me rende quoi que ce soit. La plupart des gens que je connais viennent bouffer chez moi sans jamais me rendre l'invitation. Franchement, c'est rare.

Je ne m'en offusque plus. C'est comme ça, la vie.

J'ai signé avec Thierry Chassagne chez Warner, il a un côté frontal, on me paie ce qu'on me doit. Tout va bien.

Sur décision de justice, je devais un dernier album à la maison de disques avant de partir. Ça a été *Ma vérité*, sorti en 2005. Il fallait comprendre le titre comme un glas. Cet album qu'a réalisé Pierre Jaconelli a été composé en partie par mon fils David, Zazie et des petits jeunes du groupe Kyo qui m'ont écrit « Ma religion dans son regard ».

J'ai fait quelques films dont je suis assez fier ces années-là. *L'Homme du train* réalisé par Patrice Leconte est un de mes meilleurs, je pense. Déjà parce qu'il y a Jean Rochefort qui a du génie. Ensuite parce que l'histoire était vraiment bonne. Bien noire et humaine à la fois, comme j'aime. Dedans je joue Milan, un mec mystérieux, un peu louche, qui descend d'un train dans une petite ville d'Ardèche avec son sac de voyage et son blouson en cuir sur le dos. Et j'ai des grosses migraines, donc je vais à la pharmacie chercher un médicament et, là, le pharmacien c'est Rochefort, un prof de français retraité. On parle, enfin surtout lui, dans le film je suis taciturne et lui bavard, ça nous correspondait bien ! Et il m'invite à dormir chez lui. On se lie d'amitié et, là, on me propose, enfin on propose à mon personnage, un braquage. Comme Manesquier qu'interprète Rochefort va subir une opération cardiaque et qu'il a peur de mourir, il veut faire des choses folles avant de passer sur le billard. Alors moi je lui apprends à tirer, je lui montre ce que c'est que la vie de voyou et, lui, il m'apprend à mettre des pantoufles et le bonheur du calme. Le jour du braquage arrive et moi je meurs dans un piège qu'on m'a tendu, et au même moment Manesquier meurt sur son lit d'hôpital. Il y a une scène drôle où Rochefort pousse sa sœur à dire que son mari est un con. Je pense que la morale du film c'est qu'il faut vivre, non ? Tout est très court. Ne pas rester enfermé dans un personnage qu'on s'est choisi au début et qui nous garde prisonnier en définitive. Il ne faut pas avoir peur de laisser des mues derrière soi. C'est ce que j'ai toujours fait. J'ai même changé de look régulièrement.

Gérald de Palmas m'a écrit plusieurs titres sur l'album *À la vie, à la mort*, dont un de mes plus gros tubes, « Marie ». Il y a beaucoup de belles chansons sur cet album, le quarante-troisième déjà ! Je me suis entouré de mes proches de talent, le fidèle Michel Mallory, mon fils David, Stephan Eicher et son compère Philippe Djian, Axel Bauer, Hugues Aufray, Rick Allison et j'en oublie ! Le disque a été un immense succès et m'a permis d'imaginer une grosse tournée derrière.

Le concert pour mes soixante ans au Parc des Princes qui annonçait ma tournée des Stades, c'était

110

un an avant Jade, donc en 2003. C'est drôle quand on se rend compte que des instants qui semblaient très forts sont maintenant datés grâce à des souvenirs plus forts encore, des moments de bonheur qui les ont surpassés. J'ai fait tant de concerts, comment me dire lequel avait le plus de valeur. Je sais que je me suis éclaté à La Cigale quand j'ai fait des reprises de vieux rocks américains. Je n'avais jamais l'impression de bosser, juste de chanter pour mes copains des chansons qu'on aimait tous.

J'ai beaucoup profité de ma fille après, j'ai tourné bien sûr des films comme *Quartier VIP*, mais j'étais là. Laeticia s'est tellement investie auprès de cette enfant qu'elle attendait depuis toujours. C'était trop, presque au détriment de sa vie de femme. Elle me délaissait, ne voulait pas prendre de nounou. Mais elle s'en est rendu compte et j'ai retrouvé peu à peu son regard sur moi aussi. Je pense que ce sont des étapes normales dans la vie d'une jeune femme et d'un couple. Au retour du « Flashback Tour », tout était rentré dans l'ordre, nous étions devenus une vraie famille. J'ai accompli un vieux rêve en traversant les États-Unis par la mythique Route 66.

Et quand nous nous sommes retrouvés tous les quatre, j'ai pensé qu'il fallait profiter maintenant, travailler un peu moins…

C'est dans cet état d'esprit que j'ai commencé le « Tour 66 » en mai 2009. Je me suis vraiment dit que ce serait ma dernière tournée et la vie m'a rappelé malgré moi ce que c'était que partir, ne plus pouvoir chanter, vivre et vieillir au loin, et je suis revenu.

Maintenant je pense que je serai incapable de m'arrêter tant que ma voix tiendra mon corps debout. La première salle était le Zénith de Saint-Etienne pour huit soirs pleins à craquer avec un public fervent auquel j'ai tout donné. J'arrivais sur scène au milieu d'un orage pour chanter « Ma gueule » avec les musiciens derrière qui me rejoignaient ensuite et j'enchaînais sur « Je veux te graver dans ma vie », « Joue pas de rock'n roll avec moi », et puis je déroulais « Diego », « Excuse-moi partenaire », « Gabrielle », « Allumer le feu », « Requiem pour un fou » et les singles de mon nouvel album *Ça ne finira jamais*. Déjà de toutes les citer ça me fatigue, alors en sortant de scène, j'étais heureux mais épuisé. Comme toujours j'étais là pour tout donner à mon public. Tout allait bien quand je chantais, mais en dehors, mon corps semblait me dire que j'avais trop poussé sur la machine. J'ai dû me faire opérer d'un petit cancer du côlon au lieu de prendre des vacances dans l'interruption qu'on avait prévue pour ça.

On a annulé quelques concerts et, après quelques semaines de répit, ça a été des maux de dos. Je suis grand et je me roule par terre avec une guitare depuis que je suis adolescent, forcément, ça esquinte. J'étais en tournée non-stop depuis un mois et demi, je savais que j'avais un petit break ensuite pour me faire opérer avant de rentrer chez moi à Los Angeles pour me reposer un peu. L'opération a eu l'air de bien se passer mais le lendemain ma cicatrice suintait. Elle était ouverte en partie. On l'a recousue et puis, en accord avec Stéphane Delajoux, j'ai embarqué dans l'avion comme prévu.

Ce que j'ignorais, c'est qu'au moment où il m'a recousu une infection a commencé. À bord, j'ai été pris de douleurs d'une grande violence, à tel point qu'il a fallu qu'on me mette dans un fauteuil roulant à l'atterrissage. Après douze heures d'avion, j'étais dans un état lamentable. Laeticia a appelé les urgences médicales et la valse des médecins a débuté à la maison. On nettoyait la cicatrice, on me donnait des calmants, mais l'infection empirait et ma douleur était démesurée. Jamais je n'avais vécu cela. Forcément mes démons m'ont repris et j'ai tenté de me soulager en buvant. Je me faisais des cocktails médicaments et alcool pour ne pas me taper la tête contre les murs. Je résistais à la souffrance à ma manière. On ne savait pas encore que Delajoux m'avait percé la dure-mère. Ça me fait sourire, ce mot, d'ailleurs quand quelques jours après on m'a mis dans le coma artificiellement, il paraît que j'ai appelé mon père toute la nuit. Je ne l'avais pourtant pas revu et il était mort depuis longtemps. J'avais essayé à un moment de renouer les liens, ou plutôt de les créer. Je l'avais fait venir à Paris, je lui avais acheté des costumes sur mesure chez Cerruti, installé dans un bel appartement. On avait passé la journée ensemble et je lui avais dit que je m'occuperais de lui désormais. Le lendemain, il avait mis le feu à son appart et il était retourné chez Cerruti pour revendre tous ses costumes à moitié prix. Il avait repris sa vie d'alcoolique.

Quand je l'ai enterré dans le petit cimetière de Schaerbeek, plus de quinze ans avant ce putain de coma dans lequel on m'a plongé, j'étais seul derrière le cercueil.

Et moi, quand j'ai failli mourir, je me suis senti seul aussi. C'est peut-être pour ça que j'appelais mon père ?

Ils sont tous là à dire qu'ils sont venus. Qu'est-ce qu'on en a à foutre de la file devant la salle d'attente ? La vérité, c'est que Laeticia était très seule. D'abord la seule à prendre des décisions. Je ne me souviens plus de rien. C'est elle qui doit raconter ce moment-là, moi ces quelques jours je suis une parenthèse. Moi qui suis toujours dans la lumière, à l'avant, je ne suis rien. C'est elle qui décide de ses gestes d'amour, de me sauver la vie.

J'ai une image étrange qui m'est restée en mémoire, c'est comme si j'avais été sur un bateau et que je me rapprochais d'un rivage. Sur l'île sur laquelle j'allais accoster, il y avait plein de gens disparus, je me souviens d'avoir vu Carlos. Et puis doucement, je me suis éloigné de cette île et j'ai retrouvé les visages des vivants.

Ce n'est qu'après que j'ai compris que mon corps, cette drôle d'embarcation, avait pris l'eau plus de trois semaines durant lesquelles Laeticia a pris le relais de ma conscience.

Je venais de déposer les filles. Jade à l'école et Joy au jardin d'enfants avec sa nounou. J'ai appelé Johnny pour lui dire que j'avais laissé un bon plat mijoter sur le feu et que je rentrais déjeuner avec lui au calme à la maison. C'était du bœuf carotte, je me souviens. Je me rappelle les odeurs, le moment, les choses autour comme un film au ralenti. Ça faisait des jours qu'il traînait son corps endolori dans la maison. Jamais je n'ai vu quelqu'un souffrir comme ça, pousser de tels cris de douleur. Même allongé pour dormir, c'était un supplice. Je ne savais pas quoi faire pour le soulager. J'aurais voulu prendre sa douleur sur moi. Lorsque nous nous sommes assis à table, j'ai vu que son visage avait changé complètement, il portait un masque de souffrance. Ce n'était plus lui. Je lui ai demandé si ça allait mais il ne pouvait plus répondre, il basculait vers ailleurs, j'ai pensé : « Il va partir, c'est fini. » J'ai appelé immédiatement Véronique qui s'occupe de SOS médecins à Los Angeles et nous aidait déjà depuis plus de deux semaines à tenter de soulager la violence de ses peines. Au moment où elle a répondu, Johnny est tombé sur le sol. C'était plus qu'un évanouissement classique, une sorte d'abandon, de lâcher prise, le bruit qu'on doit faire sur le sol quand on tombe et qu'on meurt. Il a fallu prendre une décision immédiate et instinctive. Soit j'attendais l'ambulance et on allait l'emmener dans l'hôpital le plus proche qui n'était pas réputé pour des cas si graves ; soit je tentais de gagner du temps et je déplaçais Johnny moi-même pour aller jusqu'au Cedars-Sinai Hospital. J'étais seule, je ne pesais pas lourd. Les souffrances de ces derniers jours me coupaient l'appétit, je me nourrissais des larmes de mon impuissance. Pourtant, je n'ai pas hésité, j'ai pris Johnny sous les bras et je l'ai tiré comme un poids mort jusqu'à la voiture. On ne soupçonne pas la force qu'on a dans ces cas-là, la puissance de la survie, de l'urgence et de l'amour. J'ai rabattu les sièges arrière de la voiture et je l'ai allongé comme j'ai pu. J'ai démarré en trombe. Johnny était inerte. Je suis partie comme un pilote de course, j'ai grillé tous les feux. Avec du recul je réalise qu'on aurait pu en plus de tout avoir un accident grave. J'ai mis cinq minutes au lieu de vingt pour me rendre à l'hôpital. Il s'est réveillé juste avant d'arriver devant, il hurlait de douleur. Les infirmiers sont venus le chercher et c'est là que le chemin de croix a commencé. J'étais dans un pays qui n'était pas le mien, je parlais dans une langue qui n'était pas la mienne. J'ai su que je commençais un combat, pas seulement contre la mort. Il faut choisir le bon médecin et prendre les bonnes décisions. Johnny était dans une sorte de crise de démence avec l'alcool et les médicaments ingurgités à haute dose pour tenter de calmer sa douleur. Il fallait l'apaiser. Ils nous ont assis dans une salle et *ils nous ont posé une série de questions pour savoir comment on en était arrivés là et quelles étaient les causes de sa souffrance. J'ai appelé le docteur Delajoux pour qu'il m'aide et il m'a dit qu'il ne viendrait pas aux États-Unis et que les médecins sur place n'avaient qu'à prendre le relais. Je me suis sentie tellement seule.*

Heureusement Véronique est arrivée et a tenté de m'expliquer comment les choses marchaient. Là-bas, il faut choisir un médecin qui va superviser l'ensemble des interventions, peu importe sa spécialité. Dix médecins ont défilé devant moi et je ne sais pas pourquoi, sans doute parce que son regard m'apaisait, j'ai choisi le docteur Sima, un Afro-Américain souriant. C'est lui qui allait être le chef d'orchestre de la guérison de Johnny. Le docteur Sima est un généraliste spécialiste des problèmes pulmonaires, mais son statut lui valait d'avoir un grand carnet d'adresses et il a mis les meilleurs spécialistes sur le coup. Johnny avait des problèmes partout. Nous avons passé huit heures enfermés dans cette salle à faire un bilan oral de sa santé alors qu'il s'enfonçait peu à peu vers la mort. Il divaguait. Ils l'avaient mis sous morphine mais ça ne suffisait pas. Il avait tellement fumé et bu ces derniers jours pour tenter de neutraliser sa douleur qu'il était dans un piteux état. Quand Johnny s'est mis à appeler son père, j'ai su qu'il regardait du mauvais côté de la route, j'ai pensé qu'il s'en allait. Johnny était dans un monde proche de la démence, il hurlait pour que son père vienne le chercher.

« Papa, papa ! Je veux te voir ! »

Les médecins qui ne connaissaient pas leurs relations ne pouvaient pas comprendre l'absurdité de ses propos et l'alerte qu'ils contenaient aussi. J'ai tenté de leur expliquer, de les affoler.

On m'a dit qu'il allait falloir le plonger dans un coma artificiel pour le soigner. On m'a expliqué que la douleur semblait trop forte et qu'elle allait le tuer, la procédure était de prendre les problèmes un à un, et pour cela il fallait mettre son corps en veille.

Je devais signer des papiers, des décharges, sa vie était entre mes mains et je ne voyais quelle autre décision prendre, j'ai fait confiance, j'ai écouté les médecins.

Naturellement je parlais avec David et Laura au téléphone. Je disais les choses en partie, surtout parce que je voulais concentrer mes forces sur sa guérison, ne pas craquer, tenir la tête hors de l'eau.

Quand on a plongé Johnny dans le coma, j'ai perdu le sommeil. Je ne l'ai jamais plus retrouvé. Comme si ma conscience permanente lui permettrait de retrouver le chemin de la sienne, comme si j'étais une veilleuse, la lumière pour le guider sur le chemin du retour.

Autour, le monde commençait à bourdonner, l'homme qu'on mettait dans le coma n'était pas que l'homme de ma vie, il était aussi la plus grande star française. Ça a été l'assaut autour de la clinique. Les journalistes d'abord qui faisaient leur travail avec plus ou moins d'élégance. Et puis les autres... La pression médiatique était hors sujet, quand on vit sur un fil, comment peut-on encore imaginer que des gens vont faire attention à la tenue que je porte pour aller à l'hôpital ? Et puis les milliers de coups de fil, les larmes, les cris, les questions de personnes plus ou moins proches de Johnny. Ils n'ont pas compris que je me fichais de leurs états d'âme, je n'étais pas là pour rassurer les gens mais pour sauver mon mari. Il y avait aussi deux petites filles qui m'attendaient à la maison, que je délaissais parce que je ne parvenais pas à quitter l'hôpital. Je pensais protéger mes enfants en leur mentant et un jour la directrice de l'école m'a convoquée et m'a demandé d'expliquer la vérité à Jade. Ce petit être a une vieille âme, elle comprend tout. Ce jour-là, je l'ai sentie libérée qu'on lui dise ce qu'elle savait déjà au fond d'elle.

Pendant ce temps, Jean-Claude Camus s'en est pris médiatiquement au docteur Delajoux, donc les communications avec lui ont été définitivement coupées, nous n'avions pas d'assistance du médecin qui avait opéré Johnny avant que tout se dégrade. Pourtant ça nous aurait aidés. Il a vraiment péché par orgueil.

Nous avons procédé par étapes avec Johnny. La première opération a été très longue. Les médecins devaient comprendre ce qui se passait et avancer pas à pas pour que son état reste stable et que nous n'allions pas vers l'irrémédiable.

Les médecins ont réalisé que la dure-mère avait été percée accidentellement lors de l'opération pratiquée par le docteur Delajoux. À cause de cela, l'infection se propageait dans les os. Quand ils l'ont ouvert, Johnny était comme un fruit qui avait commencé à pourrir, il fallait un traitement de choc pour assainir son corps.

Entre les interventions chirurgicales, Johnny était dans ce coma artificiel stabilisé. Je parlais beaucoup avec Philippe Labro par téléphone. Il a vécu cela et l'a décrit dans un livre magique qui s'appelle La Traversée. *Je lui demandais ce que faisait sa femme pendant son coma, s'il fallait que je parle à Johnny, que je continue à le traiter comme un être au pays des vivants. Philippe me donnait confiance, il était mon rare lien avec l'extérieur, je parlais peu pour nous protéger, comme une louve creuse un terrier le temps que les siens guérissent à l'abri des tourments du monde. Je racontais à Johnny ce que faisaient les filles, où nous irions après tout cela, la vie, des souvenirs heureux, et je le massais aussi. Je le gardais dans la vie, je lui faisais sentir que ma peau était proche de la sienne, qu'il restait mon homme, même intubé, même faible, même loin. Je lui faisais sentir des parfums, je lui racontais le temps qu'il faisait dehors, des blagues. Je priais aussi.*

Deux frères neurochirurgiens, les docteurs Hunt, sont intervenus ensuite. Entre chaque opération nous attendions les analyses de sang, il fallait savoir si la septicémie avançait ou s'ils parvenaient à la faire régresser, si nous pouvions espérer la neutraliser.

Je pensais au réveil aussi, après des semaines d'intubation, sans prononcer un mot, dans quel état seraient ses cordes vocales ? L'ORL de Bruce Springsteen est venu chaque jour vérifier que ce qu'il avait de plus précieux ne soit pas endommagé. Comment imaginer Johnny se réveillant et ne pouvant plus chanter ? Je pense qu'il aurait préféré en mourir.

Véronique était là, m'aiguillait. J'ai fait de belles

rencontres dans cet hôpital. Tout le monde était mobilisé autour de la vie de Johnny. Pas parce qu'il était qui que ce soit mais parce que c'était un être humain à sauver, le papa de deux petites filles qui l'attendaient à la maison et de deux grands enfants terrifiés à l'idée de le perdre.

Sans lui, ce n'était pas envisageable, pas maintenant, pas comme ça. J'ai prié de tout mon cœur pour qu'on me le rende.

On a essayé de le sortir du coma une première fois, mais ça a été un fiasco. Enfin, après trois semaines, son état s'est stabilisé et les médecins ont jugé que c'était le moment. C'est étrange de voir l'homme de sa vie revenir au monde. On ne se réveille pas de trois semaines de coma comme ça. On doit réapprendre le jour de la nuit, le son de sa propre voix. Quand il a prononcé ses premiers mots, Johnny avait la voix d'un enfant.

Je me souviens vaguement du réveil. Il était midi mais j'ai cru qu'il était minuit. J'ai des images floues de tout ça. Je sais ce que c'est de mourir en tout cas. Et je crois que quand on meurt, on ne s'en rend pas compte. On n'a conscience de rien, on s'enfonce juste de plus en plus dans le sommeil. Autour de moi, il y avait Laeticia bien sûr, mais aussi Line et Charles. C'est assez étrange que les deux êtres qui m'ont mis au monde dans ce métier aient été là. J'y vois un signe. Pas un signe de Dieu, mais un clin d'œil d'ailleurs, d'une chose en laquelle je crois et que je ne peux pas nommer. Je ne suis pas croyant au sens religieux du terme. Mais on doit tous croire en quelque chose. Je pense qu'il y a quelqu'un, un être qui nous a créés. Je ne crois pas en l'Église, pas aux dogmes. Je ne peux concevoir que cette puissance créatrice soit liée à la bonté. Je n'avale pas leurs excuses pour expliquer qu'il y a des trésors d'un côté et des gens qui meurent de faim de l'autre. Je respecte ceux qui croient mais pour moi l'injustice annihile l'idée de Dieu. Beaucoup y croient pour s'accrocher à quelque chose. Laeticia est très catholique et pieuse, elle prie souvent. Nos filles sont élevées dans la foi. C'est bien que les enfants aient foi en quelque chose, c'est rassurant. La vie a tout le temps de ternir leurs croyances.

On fait l'expérience de l'amitié quand on traverse des épreuves. On a très peu d'amis dans la vie. J'ai eu peu d'amies, Line sûrement. Avec les hommes, c'est différent, j'ai eu des potes, un tas de potes. Mais quelqu'un qui compte ? Si je devais donner des noms comme ça sans réfléchir, Eddy bien sûr, mon plus vieux pote. Mon ami en or. Jean Reno aussi qui est le parrain de Jade. C'est une amitié plus récente mais très forte. On s'est rencontrés quand on s'entraînait tous les deux avec le même coach sportif, Hervé Lewis. Il avait commencé à lui faire faire du sport pour préparer le tournage du *Grand Bleu* de Luc Besson. On s'est entraînés ensemble à la salle un jour et on a bien ri. On s'est ensuite retrouvés à Montréal au même moment. Jean tournait et je donnais une série de concerts. Ça se passait mal entre Jean et sa femme, avec laquelle il avait deux enfants. Il était malheureux. On a beaucoup parlé. Je le sentais seul et désemparé. Ensuite, quand ils se sont séparés, il est parti sur le tournage d'un *Astérix* au Maroc, je l'ai suivi. Juste comme ça, je n'avais rien à y faire. Mais pour avoir dans ma vie traversé des périodes sombres, je savais que Jean était dans un tunnel et qu'il avait besoin d'aide. Besoin de présence et d'un ami. Il partageait une maison avec Christian Clavier. Je me suis installé avec eux quelques jours. On ne s'est plus jamais quittés. C'est un ami formidable et j'ai peu d'amis dans ce métier. Ah si ! Il y a aussi Bébel ! Jean-

Paul Belmondo est mon ami. Un vrai ami. On a fait les quatre cents coups ensemble. C'était le plus sportif, le plus vif, le plus vivant d'entre nous. Ce qui lui est arrivé est terrible. Jean-Paul, c'était un personnage. À l'époque, quand on sortait ensemble, ça tournait toujours au vinaigre. Jean-Paul voulait juste faire la fête. On disait de lui que c'était le mec qui « avait inventé la fête ». Mais les mecs le provoquaient toujours. Ils le voyaient, c'était Bébel, et ils voulaient instantanément se battre avec lui.

« Alors, c'est toi l'as des as ? C'est ce qu'on va voir... »

Jean-Paul est très courageux mais pas con, il essayait de tempérer mais les types continuaient, poussaient...

Et Jean-Paul leur mettait un pain et c'était parti.

On riait bien, remarque.

Il est fidèle en amitié, Jean-Paul. Je souhaite à tout le monde un pote comme lui. Ce mec n'a peur de rien. Sur les tournages, quand je venais le voir, il faisait des roulés-boulés pour me faire marrer. Il se jetait des escaliers, il improvisait des cascades. Il était prêt à tout pour m'impressionner comme un gosse de maternelle. On finissait toujours par me demander de quitter le plateau : « Pardonnez-nous, monsieur Hallyday, mais il est insupportable quand vous êtes là. »

Je me marre de tout ça. Je ris sur mon lit d'hôpital comme je peux. Jean-Paul, regarde-nous... Tu me manques souvent, Bébel, et puis je ne t'appelle pas assez pour te le dire.

On m'a changé de service. Je suis allé en neurologie, j'ai commencé ma rééducation. Un kiné m'a réappris à marcher, il a fallu mettre des mots sur ce qui s'était passé, pour pouvoir revenir dans la vie.

Puis je les ai suppliés de me laisser sortir pour passer les fêtes de Noël à la maison. Je ne pouvais plus supporter l'hôpital et son odeur, j'étais très malheureux. Ils ont accepté mais sous des conditions draconiennes. De retour chez moi, je pensais que c'était presque fini, que le pire était derrière, pourtant il a fallu vivre avec une perfusion d'antibiotiques en permanence pour éradiquer l'infection. Je me prenais des doses de cheval et une infirmière avait pour ordre de ne jamais me quitter. Pour un homme, c'est un enfer. C'est humiliant, mais ça a été salvateur, il faut croire. J'ai été extrêmement bien soigné, on m'a sauvé la vie alors que le processus mortifère était déjà en place. Il restait mon âme à récupérer, elle avait basculé dans le désespoir. Laeticia et les filles faisaient leur possible pour dessiner des sourires sur mon visage. Ça me rendait coupable de ne pas être simplement capable de remercier le ciel d'être en vie. Je ne voulais croiser personne. Je ne me reconnaissais plus. Voyant qu'il m'était impossible de vivre normalement, quand mon traitement a diminué, nous avons presque fui.

Pendant cinq mois je me suis installé à Saint-Barth. Loin des gens, des sollicitations sociales. Face au type que j'étais devenu et qu'il me fallait apprendre à dépasser, sinon à aimer.

Je n'avais plus de voix. Je ne parlais pas. On entend un souffle et un filet de voix de gonzesse, rien. Des larmes embuaient souvent mes yeux lorsque je prenais la parole. Je m'étais engagé à jouer au théâtre. Je savais qu'en septembre 2011 il fallait être sur la scène d'Édouard-VII.

J'ai fait une grave dépression. Je le sais maintenant. J'ai vraiment souffert, je n'étais plus rien, une ombre, un vieillard, un type que je n'aimais pas, que je ne reconnaissais pas dans le miroir. Chaque petite chose me paraissait insurmontable, chaque moment de la vie qui dérapait légèrement me faisait chialer comme un gosse.

Je crois que j'avais honte, vraiment honte de moi et de ce qu'on savait ou de ce qu'on pensait de moi.

Pendant des années j'ai très bien fait la part des choses entre ce personnage surmédiatisé et celui que j'étais, mais là, dans un moment si grave, tout ce qui avait été dit sur moi me dégoûtait. La façon dont les gens avaient agi avec Laeticia, les suspicions, les ragots, ça prenait une ampleur atroce dans ce contexte. Il y a quand même eu des commentaires sur les fringues qu'elle portait pour venir me voir à l'hôpital ! Et puis, on se demande souvent comment ça se passerait si on mourait, mais moi je l'ai presque vécu. On était en train de m'organiser des funérailles nationales ! Tout devient très réel. Votre fin, et le fait que ça va devenir un spectacle et que des vampires vont se battre pour être assis au premier rang, dire ceci ou cela.

J'avais besoin de remonter sur scène comme on remonte à cheval après une chute, besoin de retrouver mon public, de revêtir un habit de scène :

l'honneur à défendre, à reprendre. Laeticia a bien compris que, pour revenir à la vie, j'avais besoin de ça. Elle m'a organisé un anniversaire à Paris sur une péniche. Je n'avais absolument pas envie de ça mais elle m'a forcé la main et elle a bien fait. Ce soir-là, poussé par mes amis, des gens qui n'étaient pas là pour me voir en mauvaise posture mais simplement pour partager un moment avec moi, la peur m'a quitté un instant et j'ai chanté « Gabrielle », avec eux, et leurs voix ont comme porté la mienne et je sentais qu'elle était là, pas complètement mais presque. En planque, prête à revenir, ma voix me faisait du pied. Oui, elle pouvait être de retour. Et ma vie avec elle. J'avais aussi envie de sang neuf. J'avais besoin du regard d'un jeune mec de talent qui me regarderait avec admiration. J'avais péniblement chanté un morceau avec Matthieu Chedid sur une scène de passage à Paris et je lui ai proposé de m'écrire des chansons, Matthieu a pris les choses en main avec un enthousiasme délirant et contagieux. Il a décidé de m'écrire tout un album et de m'entourer de son équipe. Il est venu avec sa bande de copains à la maison.

Tout s'est accéléré sur cet album à cause d'un cyclone qui s'est précipité pour s'abattre sur Saint-Barth. On n'y croyait pas jusqu'au dernier moment et puis on est venu nous annoncer qu'Earl se dirigeait droit sur nous. Quelque part, ça m'excitait assez, et puis de voir le visage de nos invités aussi ! Heureusement la Villa Jade est équipée parce que Saint-Barth en a vu passer plus d'un ; le cyclone Luis notamment qui en 1995 avait pratiquement dévasté l'île. Ils annonçaient une catégorie 4 pour Earl, des vents à 220 km/h. Tous les habitants se barricadaient dans leurs maisons avec des provisions. Les filles étaient surexcitées et Syl, leur adorable nounou, leur courait derrière. Comme à son habitude, Laeticia supervisait tout et cuisinait, comme si la guerre arrivait. On ne risquait pas de mourir de faim ! On s'est retrouvés tous ensemble volets anticycloniques fermés comme dans une colonie de vacances, et on s'est mis à faire des chansons naturellement comme dans les années 1970, on a enregistré sur des grosses bandes, sans Pro Tools. Ça sonnait bien, ça m'a réconcilié avec la musique. L'album que Matthieu Chedid a fait pour moi n'était pas commercial. Je le savais. On ne fait pas ce métier pour ça. Sinon, on le fait mal. Je me suis fait plaisir. J'avais besoin de retrouver mes sensations. De me souvenir des raisons profondes qui m'ont poussé vers la musique. Au lieu de saluer ma démarche, on est venu me chercher sur la faiblesse des ventes. Je sais ce que les gens ont envie d'entendre de moi. Mais cette fois il ne s'agissait que de moi, que de faire la paix avec la musique. D'être avec des amis en studio, de rire, d'être en vie. J'ai rencontré Matthieu, c'est un type super. Maxim Nucci aussi, Hocine Merabet. Une bande sympa. Je voulais faire un album de blues. C'est sûr, on ne m'attendait pas là. Quand Clapton vend quarante mille disques, personne ne lui en veut. C'est vrai que l'album avait des faiblesses au niveau des paroles mais je suis heureux de l'avoir fait.

Matthieu Chedid est un formidable guitariste. Il a un feeling incroyable. Je ne peux pas le placer sur un pied d'égalité avec Goldman et Berger, il n'écrit pas ses paroles d'abord et puis je crois qu'il n'a pas encore tout donné de lui ; mais c'est un vrai artiste que je respecte. On a fait cet album comme une résurrection. Ces mecs-là, ils m'ont mis des pansements. J'y croyais plus. L'enthousiasme de leur jeunesse et leur envie m'ont porté. C'est vrai que certaines musiques, comme certaines paroles, n'étaient pas d'un grand niveau, mais on s'est laissé porter, on voulait être ensemble, que ça existe. J'ai peut-être été trop arrangeant sur certaines choses pour garder le bon esprit. Mais je ne regrette rien.

Ces jeunes mecs m'ont sauvé en partie. Au-delà de ce qu'ils peuvent imaginer. On dit ça vite avec des mots, ça prend trois lignes dans un journal ou deux pages dans un livre. Mais ces moments s'étirent, ils existent bien. La douleur n'a pas de temporalité. C'est tellement dur de ne pas pouvoir articuler un mot sans chialer, d'avoir du mal à se lever devant son enfant. Jade a été très marquée par ces moments. Elle ne s'est pas remise de voir son père faible. Au moindre rhume, elle me demande : « Ça va, papa ? » Au printemps, j'ai commencé à m'entraîner à parler avec un crayon dans la bouche comme le font les acteurs pour articuler. C'est Nathalie Baye qui me l'avait suggéré. J'apprenais mon texte comme ça, je le disais à haute voix et, comme par magie, ma voix est revenue avec le texte. Le personnage peu à peu me donnait sa tessiture. Une voix de théâtre, à la fois forte et naturelle. Parler fort sans avoir l'air de gueuler. D'ailleurs quand quelques mois après j'ai fini par monter sur scène, je gardais ce coffre en permanence. À la sortie de scène quand on dînait au restaurant, Laeticia était obligée de me dire de parler moins fort ! Ma première envie de monter sur les planches date de 1973, j'avais acheté les droits de *Vol au-dessus d'un nid de coucou*, mais j'ai abandonné, je ne me sentais pas prêt, j'avais peur aussi sans doute.

C'est Patrick Bruel qui a fait renaître en moi cette envie de théâtre. Je l'avais vu sur les planches de La Madeleine avec Jacques Weber dans *Le Limier*. D'abord je l'ai trouvé formidable sur scène. Ce type est un immense acteur, et là dans ce rôle tout éclatait. Sa rage, sa drôlerie, sa dualité. Ensuite, dans sa loge, je l'ai trouvé serein. Très différent des fois où je venais le voir après un concert. Il était moins éparpillé. On se comprend, lui et moi. On sait ce que c'est de monter sur scène et de chanter devant un stade. On sait ce qu'il y a dans nos têtes avant. On a parlé et Patrick m'a expliqué qu'il ne débarquait pas à la dernière minute, qu'il arrivait dans sa loge l'après-midi, qu'il venait seul sur la scène et que, devant la salle vide..., il rejouait des passages. Ça m'a fait la même chose. Contrairement à ce qu'on pense, c'est une tout autre concentration. On n'habite pas la scène de la même façon quand elle nous appartient ou quand on vient y interpréter un personnage. Je l'attendais aussi, cet homme qui me donnerait envie de l'incarner. Ça a été Chicken dans une pièce de Tennessee Williams. À croire que mon destin et celui de Tennessee sont liés quelque part. On a tous en nous...

Ce qui est étonnant, c'est que sur la scène d'Édouard-VII j'ai endossé le rôle d'un métis, un bâtard rejeté dans une Amérique qui sortait peu à peu de l'horreur de l'esclavage et que, la première et seule fois de ma vie où j'étais monté sur les planches d'un théâtre, c'était à Londres, pour mes cinq ans, pour faire un petit figurant noir dans *Caligula*, la tête pleine de cirage. Comme j'aime la musique noire, le blues, la douleur ancestrale de ce peuple en souffrance, je sais que je trimballe sur scène une part d'eux, une fraternité.

Bernard Murat a fait partie de mon sauvetage. Je lui dois beaucoup. Il n'a jamais cessé de croire en moi. Et quel directeur d'acteur ! Étant acteur lui-même, il ne t'impose pas de jouer comme lui, il sait que c'est insupportable, il te met simplement sur la bonne voie afin que tu imposes ta façon de marcher sur la route qu'il t'indique. Il sait que personne n'exprime les sentiments de la même manière. Il m'a aussi appris le timing au théâtre, moi qui aime tellement le rythme en musique, j'ai vite compris qu'une pièce qui durait une heure cinquante ne pouvait pas durer deux heures, sinon on s'était trompés quelque part. J'ai connu la peur d'oublier mon texte aussi. Il m'a expliqué qu'il venait répéter sur scène avec les places à respecter, les gestes à faire, pendant que les comédiens restaient en face à écouter et observer.

Dit comme ça, tout a eu l'air d'arriver vite mais cette voix qui ne revenait pas a réveillé tous mes démons. Je me sentais mal, minable. Ça et le texte à apprendre. C'était un tas d'épreuves. Je me disais que ma vie, ce n'était que ça, des succès qui semblaient faciles et des heures de larmes, de transpiration derrière. Bernard Murat m'a présenté Sam, un acteur qui est venu s'installer à Saint-Barth et qui est devenu mon répétiteur et aussi mon pote. J'avoue que je l'ai un peu fait picoler, je me suis pris des cuites par procuration. Au début, il osait pas trop me dire non. Je suis comme ça, je teste les gens. Je le voyais se balader avec son petit texte, un peu penaud, n'osant pas me mettre de force au travail. Et peu à peu on y est arrivés. J'ai eu des grands moments de découragement et une putain de trouille au ventre, bien plus que pour le Stade de France.

C'est mamie Rock qui me prépare encore les inhalations que je fais chaque jour pour entretenir ma voix. Mamie Rock, c'est le surnom que j'ai donné à Élyette, la grand-mère de Laeticia, qui vit avec nous. Je l'aime beaucoup. Elle est importante dans la vie de notre famille. Pour les enfants, avoir une arrière-grand-mère à demeure c'est merveilleux ! Elle fait du sport, elle rit, elle danse ; elle est capable de parler de cul comme de politique avec des avis bien tranchés ! Sinon elle passe du temps sur son Facebook enfermée dans sa chambre comme une ado. Elle me fait marrer. À soixante-dix-neuf ans ! Vous comprenez le surnom ? Quand son mari est mort il y a quelques années, elle s'est retrouvée seule à Marseillan. On ne pouvait décemment pas la mettre dans une maison de retraite. Elle était triste à mourir. Alors, on l'a prise avec nous. Cet environnement familial, cette vérité des sentiments, cette affection ont été importants dans ma guérison.

Cet été-là, à Saint-Barth, c'est aussi pour moi une période de trahisons. Laeticia est avec une amie à la plage. Il faut savoir que chez nous, c'est toujours table ouverte. Il est dans ma nature de faire plaisir aux gens que j'aime. Au bout d'un moment, certains ont l'air de trouver cela naturel, il arrive qu'on ne me remercie plus, que cela fasse partie d'un système... Et Laeticia est d'une générosité sans faille. Moi je m'agace au bout d'un moment quand les gens viennent chaque jour pendant des mois et n'offrent jamais un cadeau, ne remercient pas, je trouve ça insultant. Ma femme ne s'en offusque pas...

Donc sur cette plage, le téléphone de cette amie sonne, elle est dans l'eau. Laeticia veut répondre pour le lui passer, mais c'est en fait un message d'une animatrice de télévision qui arrive sous ses yeux qui s'embrument de larmes quand elle le lit. En substance, le message dit qu'il faut « se farcir » les Hallyday parce que c'est important professionnellement, mais qu'elle et sa bande ne peuvent pas nous blairer. Pour Laeticia qui croit que ces deux filles sont ses amies, qui les couvre de cadeaux, les invite en permanence, les traite comme des sœurs, c'est une vraie déchirure. Ça a été la chose de trop. Ça m'a dévasté de la voir comme ça. Ma femme peut être naïve par bonté. Elle ne prête pas de mauvaises intentions aux êtres. Et puis moi, quand je travaille avec les gens, je leur fais confiance par principe, sinon on devient fou. J'ai eu tort. Il faut toujours tout contrôler, ne jamais se reposer sur qui que ce soit.

C'est aussi le moment où j'ai changé de producteur de spectacles. J'ai arrêté ma collaboration avec Jean-Claude Camus. J'ai beaucoup d'admiration pour Jean-Claude. C'est quelqu'un qui avait la folie de ne pas avoir peur de mettre le paquet pour créer de beaux spectacles. C'est un autre genre de dispute avec Jean-Claude. Des mots ont été dits comme dans chaque rupture sentimentale. Ça n'a pas été simple. Jean-Claude était jaloux de tous ceux qui m'approchaient, y compris de ma femme. Il veillait sur moi comme si j'étais sa chose. Mon fils venait au spectacle et il n'avait pas accès à ma loge ! Au bout d'un moment, j'en ai eu assez. Il était dur avec les autres. C'est un roc. Ça m'a servi souvent et puis je m'y suis cogné, moi aussi. Mais c'est un type qui a l'intelligence d'écouter les artistes. Il se demande toujours ce qu'il voudrait voir s'il venait au spectacle, pour ça, il est resté pur. C'est un gosse qui veut qu'on lui en foute plein les yeux. Jean-Claude est un autodidacte qui n'a pas oublié d'où il venait. On travaillait ensemble depuis 1980, parfois les gens pensent que tout est acquis. Un couple professionnel, comme une histoire d'amour, ça s'entretient. Je n'étais pas « sa » chose et ses déclarations intempestives durant mon coma étaient déplacées.

Bien sûr l'album *Jamais seul* n'a pas eu le succès escompté mais j'ai ouvert ma tournée qui porte son nom avec du courage et une fierté retrouvée. Avec une nouvelle équipe. Des visages jeunes et enjoués. Des idées innovantes. De l'énergie. J'ai aussi cherché en commençant ce tour comment revenir aux fondamentaux, sur quel album le public et moi pourrions nous mettre d'accord. J'ai écouté des centaines de chansons et certaines se sont imposées. Depuis plus d'une année et pour la première fois de ma vie, j'ai un manager, il s'appelle Sébastien Farran et c'est un sacré mec. Je me suis dit que s'il gérait Joey Starr, alors il était un peu entraîné et qu'il pourrait essayer de se frotter à un mec comme moi ! Dans le métier, on l'appelle « Killer Seb », ça lui va bien !

Il me soulage de tout ce qui n'est pas artistique et ça me permet de me concentrer sur mon métier. À un moment, quand vous réalisez que tout ce que vous faites par vous-même ne marche qu'à moitié, alors vous retroussez vos manches, parce que au final c'est vous qui payez les erreurs des autres, c'est moi qui grille sous un spot s'il est trop chaud, pas le mec qui l'a installé. Sébastien, c'est un grand mec costaud et rassurant, ses yeux brillent d'une chose malicieuse, je pense que c'est un mélange d'intelligence et de confiance. Il n'a pas peur de moi. Seb me parle normalement. C'est rare et ça fait du bien. Laeticia qui a dû, par la force des choses, faire l'intermédiaire souvent est soulagée aussi. Elle peut être simplement ma femme et profiter des moments. J'ai mis du temps à la trouver… Je voudrais qu'elle soit heureuse. Je dis souvent que l'amour, c'est de savoir partager une salle de bains. Les gens pensent qu'une fois qu'on est mariés, c'est acquis, mais c'est justement le jour où il faut commencer les vrais efforts. Je traite toujours ma femme comme si je l'avais rencontrée la semaine dernière.

Dans mon nouveau disque j'ai initié des idées, je les ai soufflées aux auteurs. Je voulais un texte sur Hopper par exemple qui est un de mes peintres préférés. C'est drôle parce qu'on vient de m'offrir un livre qui lui est consacré qui s'appelle *Peindre l'attente* et « L'attente » est le nom du premier single et de mon album, la chanson écrite par Miossec et composée par Daran me rappelle les ballades que j'avais inspirées à Michel Berger. On attend quelque chose de moi bien plus que de tout le monde, mais quand je le donne alors j'en suis aussi plus récompensé que quiconque. L'album cartonne et les ventes sont dignes de celles qui existaient avant les téléchargements. C'est normal, il y a onze titres et onze tubes. J'ai un beau duo avec Céline Dion dessus : « L'amour peut prendre froid » écrit par Miossec et composé par Todd Wright. La belle Céline, être de pur talent. Je dois avouer que j'ai un faible pour une belle ballade qui s'intitule « 20 ans », composée par Miossec et David Ford :

> *On joue toujours avec les allumettes*
> *Avec les flammes, avec le désir*
> *On n'a qu'une envie, qu'une requête*
> *De rire comme si on n'allait jamais mourir*
> *On a passé l'âge d'être bête*
> *Pas celui de se faire éblouir*
> *Chaque journée est une conquête*
> *Qu'il faut abattre d'un sourire*
> *Dis-moi que la vie est encore plus belle*
> *Quand on n'a plus 20 ans*
> *Est-ce qu'on peut encore toucher le ciel*
> *Quand on n'a plus 20 ans*[6] *?*

14 mai 2012. Je vais ouvrir ma nouvelle tournée française ce soir. J'ai déjà fait mon tour de chant

à Los Angeles, en territoire ami dans la salle de l'Orpheum Theatre, avec une économie de moyens. Recommencer de là, l'endroit où j'avais ressuscité, c'était émouvant pour moi. Tous les médecins qui m'ont guéri étaient dans le public, à moi de leur rendre un bout de leur cadeau, de les réchauffer avec la flamme qu'ils avaient rallumée. J'ai tout donné. Je les ai vus danser ! C'était magique. Et puis j'ai épaté mes potes de Los Angeles qui ne savaient pas que j'envoyais sévère sur scène. Dans cette ville, je suis bien plus anonyme qu'en France. Je vis tranquille, je vais au cinéma, au restaurant avec mes filles. Ça me fait du bien de retrouver les moments simples et authentiques. Entrer dans une pièce en France, n'importe quelle pièce de n'importe quelle ville française et ne pas être traité comme un être humain normal a quelque chose proche de l'emprisonnement. C'est comme si j'étais enchaîné à un fantôme dont la couleur changeait en fonction du regard que les gens portent sur lui. Et je ne peux m'en défaire ni m'excuser tout le temps d'être lié à lui. À l'étranger, il arrive que cette chaîne se rompe et que je revête un instant un habit d'anonymat. J'en profite quelques jours… Comme un gosse soudain devenu invisible qui pourrait entrer sans risque dans tous les magasins de bonbons et s'en servir à pleines mains. Et puis, quelques jours après, le chahut de ses frères lui manquerait. Moi aussi, j'ai besoin, je l'avoue, de retrouver mon fantôme et de l'enchaîner à moi de nouveau. Il est mon ombre visible. Oui, aux États-Unis, je vis. J'aime aussi la mentalité américaine. Les journalistes de la Cité des anges m'ont tous interrogé sur ma performance vocale, le choix des chansons, les arrangements, ils connaissent la musique et on partage des impressions sur la substance de ce que je fais. Bien sûr, après une question sur ma santé, les journalistes parisiens, eux, sont venus me parler d'un hypothétique redressement fiscal. C'est insupportable ! On me parle de tout sauf de mon métier.

Me voilà pourtant de retour à la maison, et j'ai peur comme un mec qui se sent aimé par sa famille, mais qui sait aussi que c'est elle qui est la plus dure. On ne m'épargnera rien. Et tout sera jugé autour de la scène aussi. Ma femme, mes enfants, mes fans, ma façon d'arriver jusqu'à la salle, l'hôtel dans lequel je dors. La tournée passera par Londres, New York, Tel-Aviv, j'irai même en Russie, mais c'est en France qu'on ne me fera pas de cadeau. Les Français pensent qu'ils ont tous les droits sur moi, je leur appartiens. C'est ici à Montpellier, il y a trente-cinq ans, que j'ai appris la mort d'Elvis. Ce fut un choc réel. J'avais demandé qu'on baisse toutes les lumières de la salle et, avec la foule, nous avons respecté une minute de silence pour le King. Une année avant j'avais pris l'avion seul pour assister à un concert d'Elvis à Atlantic City. Je me disais qu'il fallait que je le voie sur scène, au moins une fois. Je suis arrivé à la salle avec mon petit ticket. Il jouait dans un casino. Il y avait des tables avec des banquettes circulaires. Je me suis retrouvé assis avec des gens que je ne connaissais pas et qui ne me connaissaient pas non plus ! Il passait deux fois dans la soirée, à dix-neuf et vingt et une heures. Quand le présentateur a annoncé : « *And now ladies and gentlemen, mister Elvis Presley !* », ça m'a filé la chair de poule. Et puis, il est monté sur scène et là j'ai été très déçu, il était très gros, presque obèse. Mais c'était Elvis quand même et la voix vibrait là, devant moi. Je me suis senti bizarre de sortir de la salle seul comme ça, sans avoir rien pu lui dire. Je suis remonté dans ma chambre. Je dormais dans l'hôtel dans lequel il jouait. C'est comme ça, Atlantic City, un genre de Las Vegas plus ringard. Il y a des shows dans chaque grand hôtel. J'embarquais le lendemain à huit heures pour rentrer à Paris, je suis allé me coucher. Le téléphone a sonné. C'était Sammy Davis Jr. Il me demande ce que je fais ici ! Il avait eu vent de ma présence, je ne sais pas comment. Il m'a dit qu'il passait dans l'hôtel d'en face et qu'il m'attendait. J'ai rejoint sa famille chaleureuse, sa femme et sa fille. À la fin de son show, nous sommes allés dans son immense suite, comme un appartement, dans le casino dans lequel il se produisait. Sammy m'a souri et a pris le téléphone pour appeler le manager d'Elvis. Il lui a demandé s'il pouvait me rencontrer. Malheureusement, Elvis était souffrant et venait de partir se coucher. Nous avons passé la soirée à regarder des films, Sammy Davis et moi. Jamais je n'ai rencontré Elvis. Et voilà qu'il était mort. Et voilà que je transformais les applaudissements de mes fans en un silence pour lui. Et puis trente-cinq années de bruit ont passé. C'est à ça que je pense en entrant dans la nouvelle salle de l'Arena. Au temps, qui n'arrête pas de passer.

Ce sont les dernières répétitions de mon dernier spectacle, ma cent quatre-vingt-unième tournée. Je suis devant la scène. Je regarde les écrans qui s'animent, les choristes qui chantent, les musiciens qui jouent. Je suis un spectateur et je me demande qui me manque, qui je voudrais voir prendre la place vide. Et je deviens cette personne, je l'incarne, elle vient m'habiter. Je monte alors sur scène et les répétitions peuvent commencer. Je sais ce qu'on attend de moi. Ma vie consiste à offrir ce qu'on désire, à combler la place vide au milieu de la scène.

Seb règle tout, je le vois arpenter la salle avec son talkie-walkie. Laeticia est là aussi, elle donne des idées, elle règle les détails, les costumes des choristes, la caméra sur moi, elle se projette avec moi ce soir, elle me couve de son regard. Elle est née dans cette région et elle espère que « les siens » me feront un accueil formidable, elle se sent responsable, ça me touche.

Je suis entouré des meilleurs. Yarol Poupaud, le jeune et énergique guitariste, est à la direction musicale, Yves Aucoin, le spécialiste des effets spéciaux du Cirque du Soleil, s'occupe de toutes les surprises qui attendent les spectateurs et de mon entrée fracassante. C'est le cas de le dire, après un film de quelques minutes digne des plus grands jeux vidéo du moment, dans une ambiance guerrière et un déluge de feu, une boule à piquants va sembler exploser cet écran et se balancer sur la scène ; je serai à l'intérieur. Je ne peux m'empêcher d'imaginer l'effet que ça aura au Stade de France avec le feu d'artifice qui accompagnera cette entrée. J'ai mes rendez-vous à réussir, mes lubies. Pendant les répétitions je peux paraître absent parfois, parce que je ne suis pas en position allumé, je suis encore en veille. Je me prépare à lâcher les chevaux mais il ne faut pas faire la course avant le départ. Et quand la fatigue vient, j'allume une clope et je m'assieds sur le bord de la scène, ça joue, ça s'agite, ça continue mais rien ne se passe. Est-ce que ce sera ça, mourir ? Tout s'agitera encore mais plus rien ne se passera ?

Comme une image qui me hante je ne cesse d'enterrer mon père sous la pluie de Belgique. Seul. Tout seul devant ce cercueil qui entrait sous terre. Comme la répétition avant le véritable enterrement. Je me suis dit : « Quelle tristesse. Le voilà sous la terre, jamais nous n'avons pu parler. Ça y est, c'est fini. Personne ne se souciait de lui en vie, ça ne changera rien qu'il meure. » J'ai repris le chemin de ma propre vie, blessé de cette solitude. La vie, c'est cette grande route qu'on croit appréhender, qui semble assez claire comme un jeu de Monopoly. Un début, une fin, des espoirs définis. Et puis on avance et on semble réaliser ce qu'on a franchi seulement quand c'est dans le rétro. Quand c'est plus petit qu'en vrai, quand on en garde seulement l'essentiel.

Monter sur scène. Vibrer encore. Prendre la place vide. Arriver à être tout le temps dedans. Avec les gens. Que la musique et que ma voix gomment les espaces entre les corps. Que nous soyons tous en concert. Que nous soyons tous Johnny Hallyday. Comme je tente de l'être depuis cinquante ans.

Le bal de la tournée a commencé, je pars, je chante dans des villes différentes chaque jour, souvent je dors là-bas, parfois une voiture me ramène la nuit, je rejoue le concert en moi et je ne m'endors pas. Les gens crient encore dans ma tête. Dans quelques mois je chanterai au Stade de France à nouveau.

Je fête mes soixante-neuf ans au Stade. Il est plein malgré ce que les corbeaux de la presse ont pu dire ces derniers mois. Les gens sont venus et je vais tout leur donner. J'ai envie de leur dire que je suis vivant, que je chante comme jamais, que je ne tomberai plus. Il pleuvra cette fois encore, juste le premier soir. Mais j'en souris. Je leur dis, amusé : « Je suis très heureux d'être ici ce soir. J'ai vraiment un public en or. » Et j'ajoute en rigolant : « Et comme d'habitude, il pleut ! », et mon rire se propage dans la foule. Je suis plus fort que les gouttes désormais, elles glissent sur moi comme des caresses du ciel.

Je suis revenu pour un bout de chemin. Le concert est tel que je l'avais rêvé. L'entrée est assourdissante. Les spectateurs en avaient entendu parler, mais la vivre c'est autre chose. J'entends une vague émerveillée lorsque l'orchestre philarmonique se découvre pour jouer « Diego ». Nous enchaînons avec « Poème sur la 7e » et chaque fois que je dis les mots de Labro je réalise comme il était précurseur et je vois l'inéluctable, la Terre que nous laisserons à nos enfants. Je suis dans chaque geste, chaque parole. Je crois en ce que je dis, j'interprète avant de chanter, je raconte des histoires et les gens les partagent avec moi. Il y a ensuite cette parenthèse intime, je m'avance sur une avant-scène et, en acoustique, je reprends les tubes de notre jeunesse : « L'idole des jeunes », « Joue pas de rock'n roll pour moi », « I'm gonna sit right down and cry over you », « Elle est terrible », « Cours plus vite, Charlie » et, pour finir, « Ses tendres années »… le pied, quoi.

Je termine mon tour de chant avec « L'envie », je sors les larmes aux yeux. Le rappel est vibrant. J'y retourne pour chanter « Toute la musique que j'aime », et je quitte la scène du Stade de France à nouveau. Laeticia et Jade ont traversé les couloirs du Stade en courant pour me serrer dans leurs bras. Je suis plein de sueur mais elles s'en fichent, elles débordent d'amour. Pour la première fois, je sais que je n'aurai plus peur quand les cris se seront tus, quand les lumières se seront éteintes, il me restera une famille. C'est avec ça dans la voix que je chante seul avec mon pianiste, comme dernière chanson, la reprise de Jacques Brel : « Quand on n'a que l'amour ».

La voiture file, j'ai serré mille mains, écouté des bravos, des cris, des mots à partager, je ne parle pas. Le silence est magique après ce que j'ai vécu, on n'entend que le bruit de la voiture qui m'emmène vers mes amis. Nous allons souffler mes bougies ensemble. Je tourne mon visage vers celui de Laeticia, elle est là, elle sourit, ses yeux sont grands émus. Elle au moins ne change pas. Il pleut, oui. Ça fait des taches sombres et claires sur les pavés de Paris. Je regarde à travers la vitre. Un grand jeune homme blond court de toutes ses forces, je crois qu'il rit. Alors j'emprunte son corps et je cours moi aussi. J'ai dix-sept ans à nouveau. Je viens de quitter l'appartement de Bruno et Paulette Coquatrix. L'Olympia était plein comme mon cœur gonflé d'espoirs. Et je suis heureux et j'ai peur. Piaf m'attend là-haut, elle attendra, tant pis, j'ai la vie devant moi. J'ai encore un tas d'envies, je suis trempé de rêves. Tiens, je voudrais réaliser un film. J'ai lu un livre génial de David Goodis, *Cassidy's Girl*. Le personnage est trop jeune pour que je l'interprète, mais ça me dirait de diriger un acteur. Le roman est presque déjà un scénario. C'est très cinématographique, ça se passe dans un port, dans un bar de matelots… Oui, je ferai ça… Un album de duos en anglais aussi avec Paul McCartney, Willie Nelson, Bon Jovi. Il me reste des premières fois. Des premières fois qui me font me lever le matin. J'en ai eu tellement, des premières fois, jamais au même moment que les autres gens. Ceux qui rêvent de mes premières fois à moi ne savent pas ce qu'elles représentent.

La première fois que je suis monté sur scène, je ne voulais plus en redescendre.

La première fois que j'ai fait l'amour, c'était dans le hall de l'immeuble, à la va-vite, avec ma voisine de palier.

La première fois que j'ai dit « papa », c'était en parlant de moi.

La première fois que j'ai dit « maman », j'avais cinquante ans.

La première fois que je suis mort, je n'ai pas aimé ça, alors je suis revenu.

Notes

1. *Laisse les filles*, Jan / Gilbert Guenet, Johnny Hallyday, © ALPHA ÉDITIONS MUSICALES.
2. *L'envie*, auteur-compositeur : Jean-Jacques Goldman, © JRG.
3. *Que je t'aime*, paroles de Gilles Thibaut, musique de Jean Renard, © 1969 Éditions des Alouettes (Catalogue Europe Sélection) / Amplitude Publishing.
4. *Jésus-Christ*, paroles : Philippe Labro, musique : Eddie Vartan, © 1970 Éditions Musicales Fantasia (catalogue Johnny Hallyday Music) / Les Nouvelles Éditions Méridian, « Publié avec l'autorisation des NOUVELLES ÉDITIONS MÉRIDIAN et des ÉDITIONS MUSICALES FANTASIA – Paris – France ».
5. *Le Pénitencier*, Alan Price / adaptateurs : Hugues Aufray, Vline Buggy.© PETER MAURICE SOC, KEITH PROWSE MUSIC PUBLISHING CO LTD représentée par EMI MUSIC PUBLISHING.
6. *20 ans*, David Ford / adaptateur : Christophe MIOSSEC. © STAGE THREE MUSIC (Catalogues) Limited / BMG RIGHTS MANAGEMENT (France).

Composé par Nord Compo
à Villeneuve-d'Ascq (Nord)

POCKET – 12, avenue d'Italie – 75627 Paris cedex 13

Imprimé en Espagne par
LIBERDÚPLEX
à Sant Llorenç d'Hortons (Barcelone)
en avril 2014

Dépôt légal : mai 2014
S23622/01